En couverture :
le pont romain de Saint-Thibéry (photo J. Debru)

La Via Domitia

Des Pyrénées aux Alpes

TEXTE **Pierre A. Clément**
PHOTOGRAPHIES **Henry Ayglon, Pierre A. Clément**
PRÉFACE **Marc Dumas**

Editions OUEST-FRANCE

SOMMAIRE

Préface
L'Itinéraire Vicarellien,
une image d'appartenance méditerranéenne

« Je sais et je le répète, que les pays de la Méditerranée ont toujours été faits pour s'agréger l'un à l'autre aussi naturellement que la vigne à l'olivier se marie. » (Jeunesse de la Méditerranée, Gabriel Audisio, NRF, 1935)

La représentation cartographique du tronçon de la *Via Domitia* en France du Sud ressemble à la très forte image d'une clef de voûte d'un arc roman dont l'*Itinéraire Vicarellien* constituerait l'ensemble architectural dans le temps et dans l'espace. Dessin en perpétuelle élaboration que l'histoire a chaque jour renforcé entre les deux péninsules de l'Europe extrême-occidentale du Sud.

Par ailleurs, elle est à la jonction de part et d'autre de deux chaînes de montagnes (Alpes/Pyrénées) et de deux frontières où, fruit du hasard ou de la nécessité, se sont croisés les grands courants religieux, culturels et politiques de l'Europe en marche.

Comme l'avaient écrit Pierre A. Clément et Alain Peyre dans un premier ouvrage sur cette route antique, l'architecte de cet étonnant prodige…, on pourrait même préciser « l'architecture révélée », est l'association « Via Domitia » créée en 1985 à l'initiative de Philippe Lamour. Dans un premier temps, le projet à court terme voulait conduire une opération de sauvegarde, puis de défense et d'illustration de ce patrimoine afin d'y promouvoir un tourisme « culturel » en y fédérant les départements concernés.

C'est alors que l'on a mis à contribution archéologues, historiens et autres décideurs pour la mise en valeur de ces voies romaines en Italie et en Espagne, puis sur tout le pourtour méditerranéen.

Parmi toutes ces voies reconnues, cinq sont décrites par un document tout à fait exceptionnel : ces quatre fameux gobelets de Vicarello nous déclinent toutes les grandes étapes de ces routes de Rome à Cadix, qui sont parmi les plus anciennes instituées et administrées par Rome hors d'Italie.

Ce trait d'union – établi en Narbonnaise par la *Via Domitia* – est prolongé en Italie par la *Via Aemilia* et la *Via Flaminia*. En Espagne – passé les Pyrénées –, la *Via Augusta* et la *Ruta Baetica* nous accompagnent jusqu'à Cadix.

L'impact grandissant qu'occupent dans les activités touristiques toutes ces régions que traverse cet **Itinéraire**, les place au premier rang de cette « industrie bleue ». De plus leurs situations géographiques en font des territoires parmi les premiers concernés quant aux relations avec les pays du Maghreb et leurs côtes maritimes sont les premières portes vers la Méditerranée orientale.

Comme les historiens trop souvent contraints à des découpages dans le temps, les physico-géographes les ont aussi suivis, trop pressés d'entériner d'autres découpages politiques

Page de gauche
Mosaïque romaine, IIIe siècle.
Promenade dans un char.
Museo Arqueologico
Nacional, Madrid.
© akg-images/Nimatallah

7

issus de l'histoire et de ses conflits. La géographie humaine, mais surtout économique et culturelle, est heureusement venue au secours d'une autre vision qui abordait toutes ces frontières artificielles finalement imposées par l'ambition aveugle des pouvoirs.

Donc, comme la « périodisation » de l'histoire nous prive d'une plus large perception des évènements, des réelles transitions, de la lenteur des influences ou des pesanteurs des changements, les ruptures frontalières occultent encore aujourd'hui les liens d'unicité de ces régions méditerranéennes.

Un « Itinéraire de pensée » dans le temps et l'espace qui aurait pour dessein de brocarder un peu les acquis « scolaires ou universitaires » de l'histoire et ceux des frontières géopolitiques est-il une gageure trop prétentieuse ?

Nous avons abordé dans nos causeries tous les sujets participants de cette « unicité », c'est-à-dire un lien commun très fort, vécue dans la diversité. Nous avons ébauché : la géographie physique avec ses quatre grands fleuves et leur delta, les quatre chaînes de montagne, les climats et l'agriculture, la préhistoire et la protohistoire, la diaspora juive, l'art roman, la Renaissance, la littérature et la gastronomie... et la liste n'est certes pas exhaustive.

Nous avons volontairement relégué au second plan la latinité et la domination de Rome pour ne pas exacerber un mythe déjà très lourd qui dissimule trop souvent d'autres courants de civilisations moins présentes dans le temps et moins agressives. D'abord, ce passé « romain » est commun à toute la Méditerranée et si nous persistons à considérer qu'il peut aussi être un élément fédérateur, nous ne pouvons pas oublier que le fascisme mussolinien en avait fait aussi un grand slogan de propagande dominatrice.

Puis il faudrait aller chercher sur les deux rives de la *mare nostrum* tous les textes et analyser tous les courants de pensées qui ont jalonné ces deux derniers siècles, avant, pendant et après l'aventure coloniale où les trois nations latines ont été impliquées (France-Espagne-Italie). Il faudra bien aussi réfléchir sur l'intensité particulière des échanges, et notamment en matière migratoire, sur cette part occidentale quant aux résultats au niveau social, économique et culturel surtout par rapport aux conflits interminables de la partie orientale de cette mer commune. Les attitudes, les relations et les projets de cet Arc latin dans le nouveau cadre de l'Europe seront peut-être déterminants pour l'ensemble de ces deux Méditerranée – en tout cas peuvent-ils servir de repère sinon d'exemple.

C'est grâce à l'impact de l'image forte du **chemin** que nous attendons qu'elle nous emmène vers l'autre et vers les autres... Elle peut nous inviter à ne plus opposer constamment cultures et religions juive, chrétienne et musulmane.

Quand arrêterons-nous de considérer le Moyen Age comme une succession de siècles d'obscurantisme et de ne pas admettre avec lucidité les différentes phases comme des « renaissances » comme l'affirme le célèbre historien Le Goff ?

Toutes les sociétés humaines dans toutes les civilisations se définissent par la maîtrise qu'elles donnent au temps dans l'espace... mais bien sûr si elles ne marchent pas au même rythme, n'empruntent-elles pas un jour des chemins communs ou ne se retrouvent-elles pas à un carrefour de l'histoire pour partager et s'enrichir dans le respect et l'échange.

Cet **Itinéraire exceptionnel** de routes d'homme que nous livrent ces documents d'archéologie à la fois « prophétisant et visionnaire » ne doit pas être un simple prétexte à investigation historique d'une seule période. Ces routes existaient déjà en ébauche ou formation avant l'administration romaine et elles ont toutes survécu aux vicissitudes de l'histoire.

Des civilisations qui nous ont précédés ont été capables de bâtir des Itinéraires cultuels avec de grands pèlerinages (très souvent fondés d'ailleurs sur des faits historiques bien fragiles) !

Pourquoi notre siècle, entrant dans le IIIe millénaire, ne serait-il pas en mesure et en puissance capable de penser, créer et générer un nouvel Itinéraire « culturel » d'envergure euro-méditerranéenne ?

Pouvons-nous nous satisfaire encore longtemps de quelques manifestations festives dans le genre *peplum* ou autres repas rétrospectifs à la romaine ? Mais ces quatre gobelets de l'époque nous interpellent ! Car enfin pourquoi avoir gravé dans le bronze tout ce parcours étapes par étapes et seulement sur cet arc latin avec autant de précision ?

Dans une chronique récente, Pierre Veltz écrit à propos des *Lieux et des Liens* : « *Le monde hautement interdépendant dans lequel nous sommes entrés n'est pas et ne sera sans doute jamais, un espace de pur flux, où les lieux auraient perdu toute signification. Le territoire résiste, mais la territorialité se transforme en profondeur. Continuer à voir les Etats nations comme des mosaïques de régions et le monde comme une mosaïque d'Etats nations est un anachronisme consolant, mais trompeur.* »

Il est peut-être de la volonté de quelques-uns de commencer à bâtir ce grand projet où le mot « frontière » n'aura plus le même sens. Puis, au-delà des deux rives de la mer commune, d'autres pourront demain nous rejoindre car le Méditerranéen n'est pas exclusivement un marin ou un navigateur. C'est Pedrag Matéjevitch qui le rappelle dans son *Bréviaire méditerranéen*, grand périple où il a rencontré partout deux types d'hommes : ceux de la mer et ceux de l'arrière-pays. Ces derniers parce qu'ils étaient pasteurs agriculteurs et aussi marchands colporteurs avaient choisi les routes… les chemins et les *draio*.

La route nous oblige à ne pas se figer sur un lieu mais au contraire à découvrir territoire après territoire – *pagus post pagus* – les liens qui les assemblent, les héritages qu'ils ont en commun, les métissages qu'ils ont assimilés, les différences qui les enrichissent. Le chemin a des exigences de pensées de plus en plus larges quand il décide de tracer et de reconnaître par un acte de volonté un « itinéraire de liaison » pour ouvrir cette marche de l'imaginaire à l'histoire, l'économie, la culture, à tous les patrimoines, à tous les rêves et à toutes les réalités.

Peut-être pourrions-nous proposer à nos partenaires frontaliers une *Charte des territoires méditerranéens pour une autre manière de voyager.*

Mark Twain a écrit un jour : « *Des inconscients savaient une réalisation impossible : c'est pour cela qu'ils l'ont faite.* »

Pour chacun d'entre nous, en fonction de nos sensibilités et de nos connaissances, l'Europe méditerranéenne une notion, une entité historique, économique, culturelle… voire spirituelle ?

Jacques Rigaud, qui a beaucoup réfléchi et écrit sur la culture et sa diffusion, dit à propos de la Méditerranée « *qu'elle est assise sur une géologie culturelle* ». Cette image, empruntée à la toute première des disciplines de l'histoire de notre planète, est riche d'enseignement et de réflexion.

Quant à nous, « gens du Sud », nous devons être convaincus, au regard du passé, du présent et surtout de l'avenir de nos pays, que nous avons un destin commun à partager.

Marc Dumas
Vice-Président d'« Alpes de lumière »

La *Via Domitia* dans l'Histoire

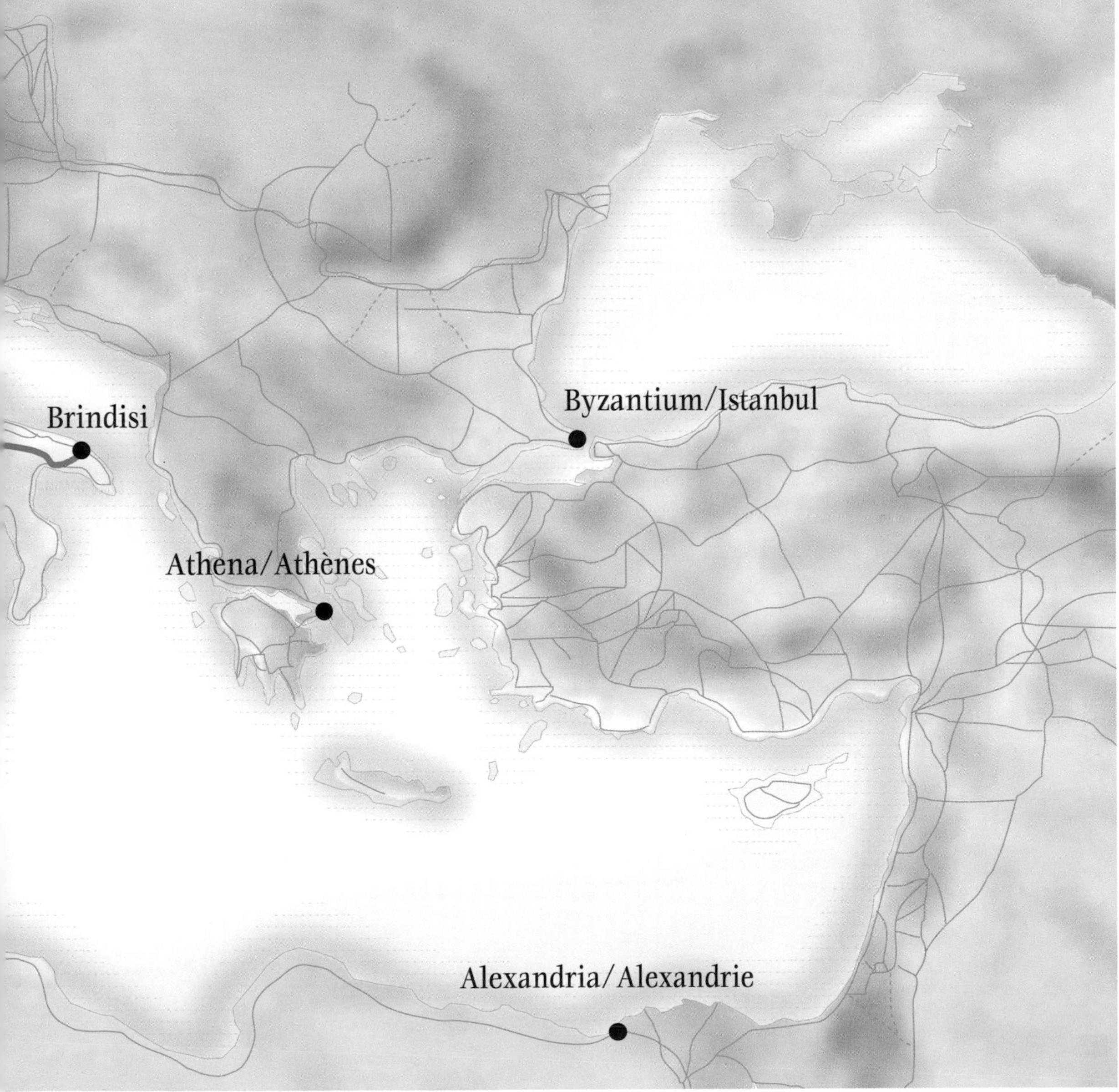

Via Salaria
Via Aemilia
Via Domitia
Via Augusta
Via Appia
Via Aurelia
Via Latina
Via Flaminia
Brindisi
Byzantium/Istanbul
Athena/Athènes
Alexandria/Alexandrie

Les voies romaines

La voie romaine porte en elle une forte symbolique. Dans l'imaginaire collectif elle est assimilée à la toute-puissance d'un immense empire qui a été le premier à mettre en place un réseau structuré de chemins.

Jusqu'à l'émergence de Rome, la plupart des itinéraires ne pouvaient pas s'ouvrir à un trafic intensif tant pour le commerce que pour la soldatesque.

Les pistes primitives n'étaient accessibles qu'aux marcheurs. La charge maximale d'un homme ne dépassait guère 30 kilos, aussi bien pour un portefaix que pour un fantassin aguerri.

L'invention du bât, quelque 3 000 ans av. J.-C., accompagnée du percement de voies praticables par les bêtes de somme, détermina un essor considérable des échanges par terre. Un âne était en effet capable de convoyer 80 à 100 kilos et un mulet ou une mule 160 à 180 kilos. Ainsi naquirent les caravanes de marchands et le train des équipages des armées.

La diffusion de la roue au cours du Ier millénaire av. J.-C. a impulsé la première révolution des transports. Dès lors, un char à deux roues tiré par deux bêtes (mulets, chevaux ou bœufs) a pu acheminer de 300 à 400 kilos et un chariot à quatre roues tiré par quatre bêtes a pu véhiculer de 700 à 800 kilos.

Cette innovation que les Celtes ont introduite dans l'Europe du Sud au IVe siècle av. J.-C. a eu pour corollaire la naissance d'un véritable réseau routier avec ses ponts de bois ou de pierre, ses passages en tranchée, ses surélévations en remblai, ses relais où l'on changeait les animaux de trait ou les chevaux de selle.

Il ne faut pas s'imaginer que les routes romaines étaient uniformément pavées. Reportons-nous au texte révélateur de Tite-Live (*Histoire de Rome*, XLI, XXVII) : « *Censores vias sternendas, silice in urbe, glarea extra urbem.* » (Les censeurs auront à pourvoir au revêtement des voies, avec des pavés [de silex] à l'intérieur des villes, avec de la terre battue [de l'argile] à l'extérieur des villes.)

Il est donc relativement rare de rencontrer des sections de voies romaines pavées. La présence d'un caladage se vérifie uniquement dans les grandes agglomérations ou à leurs abords immédiats, c'est-à-dire là où la circulation était très dense. On en trouve aussi dans les portions comportant une pente en forte déclivité afin de ralentir le ravinement de la chaussée.

Partout ailleurs existait une bande de roulement dont la couche supérieure était compactée au *paviculum*, le pilon de bois des dameurs.

Soldat romain découvert à Vachères, IIe siècle apr. J.-C.
© Musée Calvet d'Avignon

Le Chariot des Vendanges, détail d'un pilier funéraire, environ III⁰ siècle. Musée d'Art et d'Histoire de Langres.

© Christophe Jobard

Lampe à huile à décor de course de char gallo romain, I⁰ʳ siècle.

© Ville d'Apt

La première voie romaine citée dans un texte a tout d'abord relié Rome au carrefour économique de Capoue (312 av. J.-C.), puis ensuite Capoue au port de Brindisi sur le canal d'Otrante, plus court passage par mer entre l'Italie et la Grèce. Elle est connue sous le nom de *Via Appia*.

La structuration d'un réseau de chemins charretiers en étoile autour de Rome nous a laissé la *Via Aurelia* en direction de Pise et Gênes, la *Via Latina* en direction du territoire étrusque, la *Via Flaminia* en direction de Rimini, la *Via Salaria* en direction d'Ancône, la *Via Tiburtina* en direction de Tivoli...

Après les campagnes militaires de 125 à 122 av. J.-C. menées par Caius Sextus Calvinus et de 121 à 118 av. J.-C. menées par Cneius Domitius Ahenobarbus, les Romains s'établissent dans le sud de la Gaule. Un de leurs chantiers les plus spectaculaires sera l'aménagement de la *Via Domitia*, le premier chemin de chars lancé au-dehors de l'Italie.

Pour conduire ce gigantesque chantier de génie civil, il a fallu un Etat bénéficiant en même temps d'ingénieurs qualifiés, d'un personnel expérimenté, d'une autorité incontestée et de solides ressources financières. Ces quatre conditions essentielles se trouvèrent réunies à Rome qui, depuis, est considérée comme le modèle sur le plan de l'infrastructure routière.

Héritiers des savants grecs et carthaginois, les ingénieurs du monde romain étaient passés maîtres dans l'utilisation et la mise au point d'instruments scientifiques :

Chorobate : imposant niveau à eau pour les visées horizontales indispensables en matière de dénivelé.

Groma : sorte de croix pivotante avec un fil à plomb à l'extrémité de chacun de ses quatre bras pour les visées angulaires.

Le principal réservoir de main-d'œuvre pour la construction des routes était représenté par les légions romaines. En temps de paix, les soldats étaient employés au nivellement des nouvelles voies, à leur empierrement et à leur compactage. En complément, les proconsuls des territoires récemment conquis faisaient appel, dans le cadre des corvées, aux populations autochtones.

Solidement hiérarchisé, le pouvoir central régnait autoritairement sur les provinces et les colonies. Les aménageurs n'étaient jamais paralysés par des contraintes foncières. Des procédures rapides d'expropriation facilitaient la percée de routes rectilignes reliant les unes aux autres les principales cités.

Enfin, Rome fait figure de précurseur dans le domaine de la fiscalité.

A l'origine du nom de la Via Domitia

Entre le passage des Alpes aux Summae Alpes/col du Mont-Genèvre et le franchissement des Pyrénées au Summum Pyrenaeum/col de Panissars, la voie romaine reliant l'Italie à l'Ibérie porte le nom de voie Domitienne.

La première mention dans un texte se trouve dans le *Pro Fonteio*, un plaidoyer de Cicéron daté de 70 av. J.-C.

Dans une affaire de corruption, le grand avocat défendait le préteur Marcus Fonteius qui avait gouverné de 74 à 72 av. J.-C. le territoire que l'on appelait alors la Gaule Transalpine.

Entre autres exactions, les populations occupées reprochaient au représentant de Rome d'avoir touché des pots-de-vin lors de travaux de réfection effectués sur la Via Domitia.

A la suite de Cicéron, les historiens continuèrent à lui attribuer l'appellation de voie Domitienne.

A partir du Moyen Age, elle fut également désignée sous le nom occitan de « cami de la mounède » que les scribes du cadastre napoléonien traduisirent par un improbable « chemin de la Monnaie ». En réalité, mounède serait un dérivé du latin *munita*, participe passé du verbe *munire* qui signifiait « réparer ». Le « cami de la mounède » serait donc le chemin ayant fait l'objet de travaux de remise en état.

Le proconsul C. Domitius avait aussi donné son nom à la ville d'étape et de marché appelée par les itinéraires antiques Forum Domitii. Ce site, qui s'étendait sur une dizaine d'hectares à quelques centaines de mètres à l'est du village médiéval de Montbazin, a été abandonné entre le IVe et le Ve siècle apr. J.-C.

Buste de Ciceron, Marcus Tullius : orateur, politicien et écrivain. Sculpture en marbre.
(Galerie des Offices, Florence).
© akg-images/Rabatti – Domingie

L'établissement des cadastres pour déterminer l'assiette des impôts ainsi que la mise en place d'un corps de fonctionnaires spécialisés a permis la constitution de réserves facilitant le financement des grands travaux.

En six siècles (400 av. J.-C. à 200 apr. J.-C.), les Romains ont implanté en Europe, en Asie et en Afrique du Nord une toile de voies longues au total de plus de 100 000 kilomètres.

Elément de bas-relief du charretier, époque romaine.
(Musée archéologique, Narbonne).
© Jean-Marc Colombier-Ville de Narbonne

La légende d'Héraklès

La légende

Le combat d'Hercule et de Géryon inspire encore les peintres contemporains. Malgré de nombreux anachronismes, cette aquarelle respecte parfaitement la tradition de la dépouille du lion de Némée qui protège le héros et la tradition du monstre avec deux jambes et trois corps.

La *Via Domitia* n'est certainement pas une création *ex nihilo*. Le territoire qui s'étend des Alpes aux Pyrénées a constitué une zone de passage incontournable depuis que l'homme s'est implanté sur les rives de la Méditerranée.

Le premier itinéraire en continu ayant relié les péninsules italique et ibérique remonte au moins au IIe millénaire av. J.-C. Il a reçu le nom de *Via Heraklea* en souvenir du héros que la mythologie grecque nous pré-sente comme le fils de Zeus et d'Alc-mène, une mortelle. L'Antiquité en a fait le dieu des géomètres et des ouvreurs de route.

Le dixième travail d'Héraklès, Hercule pour les Romains, évoque symboliquement cette image de voyageur et de créateur de voies nouvelles. Son retour d'Erythie, l'actuelle Andalousie, peut être considéré comme une ébauche de géographie des chemins. Chacune des aventures du demi-dieu marquerait une étape majeure sur le trajet reliant l'Ibérie à Mycènes en Argolide.

Héraklès avait reçu la mission d'aller dans le delta du Guadalquivir pour y abattre Géryon, un despote sanguinaire qui terrorisait les populations. L'expédition s'avérait périlleuse. Le redoutable géant possédait trois têtes qui avaient le pouvoir de repousser si elles n'étaient pas tranchées toutes les trois en même temps. Avant de pénétrer dans l'antre du monstre, le fils d'Alcmène avait dû massacrer l'énorme chien qui défendait l'entrée. Une fois en face de Géryon, il avait fait faire un moulinet à sa légendaire massue en bois d'olivier et, d'une seule volée, il avait décapité le tyran tricéphale.

En multipliant les razzias dans les tribus voisines, Géryon avait réussi à rassembler un immense troupeau de bœufs et de vaches au pelage noir. Héraklès décida donc de s'en saisir et de ramener tous les bestiaux en Argolide. Le premier épisode de cette longue marche se situe au passage des Pyrénées dans le secteur de Cerbère. Auréolé de sa victoire spectaculaire sur Géryon, le héros est accueilli avec les honneurs par Bébryx, le roi de la contrée. Un somptueux festin se poursuit tard dans la nuit, avec force libations. Héraklès ne reste pas insensible au charme fou de la ravissante adolescente brune qui passe remplir sa coupe. Elle s'avère être la fille de Bébryx qui a jugé qu'elle seule était digne de servir le fils d'Alcmène. Notre demi-dieu se rend compte que la princesse ne retire pas sa main quand il la lui prend. Il voit aussi que Bébryx commence à clignoter des paupières. Il l'entraîne à boire encore davantage jusqu'à ce que le vin de la Côte Vermeille le plonge dans le sommeil de l'ivresse. Une fois que les serviteurs se sont retirés, Héraklès initie sa jeune hôtesse aux plaisirs de l'amour. Leurs étreintes ne prennent fin qu'avec les lueurs de l'aurore, à l'heure où le héros doit reprendre son chemin en poussant devant lui le troupeau de Géryon.

Les mois passent et, un beau matin, le roi s'aperçoit que la princesse a le ventre bien rond. Furieux de découvrir que le Grec a trahi les lois de l'hospitalité, il chasse sa fille. Abandonnée de tous, elle se réfugie au plus profond des forêts des montagnes voisines. Après avoir erré des jours et des nuits, elle expire en mettant au monde un enfant mort-né. Elle se prénommait Pyrène ! Encore de nos jours, son souvenir reste gravé sur le relief depuis la Méditerranée jusqu'à l'Atlantique.

Dix jours en suivant, Héraklès, après avoir traversé le Vidourle, parvient au pied d'une colline sacrée. L'eau y sourd en abondance. Bœufs et vaches pourront s'y abreuver à satiété avant de se reposer et de dormir. La fontaine est placée sous la protection

Amphore attique à couvercle à figures noires. Héraklès et le triple Géryon, les inscriptions désignent les personnages. Attribué à Exekias (VIe siècle av. J.-C.), Paris, musée du Louvre.
© Photo RMN © Hervé Lewandowski

Dans cette représentation de l'affrontement entre Héraklès et Géryon, l'artiste trahit la légende en dotant le redoutable géant de trois paires de jambes.

Jardins de la Fontaine à Nîmes.
© Pierre-Albert Clément

Bouche d'eau découverte à Tourville.
© Ville d'Apt

de nymphes dont la nudité met le demi-dieu en émoi. Sa demande en nuit d'amour est reçue sans détour par la vierge qui a été l'objet de son choix. Elle va se donner sous la lune avec le secret espoir de concevoir un enfant qui sera le petit-fils de Zeus. Le vœu de la nymphe de la source est exaucé. Son fils sera appelé Némausus et il donnera son nom à la ville que les Grecs implanteront aux abords de la colline. Il aura cinquante-neuf demi-frères, les Héraklides, ces garçons dont la naissance symbolise la fondation par les Ioniens de comptoirs tout autour de la Méditerranée.

Cette référence à l'ethnologie nous amène à une légende cévenole qui apparaît comme calquée sur l'épisode de Pyrène, à la seule différence que le protagoniste n'est pas Héraklès, mais un charpentier grec du port phocéen de Marseille. Avec ses compagnons, il est venu au nord d'Anduze choisir et scier des fûts de chêne qui serviront à la remise à neuf des bateaux en cale sèche sur les bords du Lacydon. Pendant son séjour en Cévennes, il séduit la fille du grand chef qui règne sur le pays. Sa semence est tout autant féconde que celle de son célèbre compatriote et il abandonne lui aussi son amoureuse après lui avoir donné un enfant. Là encore le père offensé répudie la malheureuse qui part se cacher dans la montagne. Elle finit par perdre son garçon et pour expier sa mésalliance, elle déambulera d'une cime à l'autre en portant une lourde pierre. La chaîne dite de la Vieille Morte perpétue la tradition orale.

En fait, la rencontre de la nymphe et d'Héraklès à la fontaine de Nîmes traduirait l'osmose entre les Grecs et les peuplades proches de la mer tandis que la mort des enfants de Pyrène et de la Vieille symboliserait le rejet du colonisateur par les tribus des contrées montagneuses.

Le récit du retour à Mycènes est balisé par quantité d'autres épisodes très évocateurs. Lorsque le troupeau traverse le Rhône à la pointe du delta, plusieurs taurillons et plusieurs génisses sont emportés par le courant. Ils s'échouent sur l'île de la Camargue où ils reviennent à l'état sauvage. Les manades de « bious » de couleur noire seraient donc les descendantes du cheptel de Géryon.

Peu après, Héraklès pénètre dans les prairies de la Crau où son voyage sera bien près de s'arrêter tragiquement. Inquiets de voir leur herbe précieuse pacagée et saccagée par les centaines de bovins venant d'Erythie, les farouches bergers lygiens tendent un guet-apens à leur conducteur. Des nuées de flèches et de javelots s'abattent sur le héros et commencent à déchirer la dépouille du lion de Némée qui lui sert de cuirasse. Comprenant qu'il va succomber sous le nombre, Héraklès implore son père. Zeus ne reste pas sourd à cet appel de détresse. Il fait pleuvoir des millions de cailloux sur les assaillants qui s'enfuient épouvantés. Depuis, la pelouse verdoyante de la Crau se dissimule sous de vastes tapis de pierres.

A Rome, le demi-dieu commet l'imprudence de faire étape au marché aux bœufs. Profitant de l'affluence, un géant appelé Cacus dérobe huit des plus belles vaches du troupeau et s'en va les cacher dans une profonde grotte. Héraklès sait que l'une d'elles est en chaleur. Il décide d'aller balader un taureau sur l'Aventin. Ce qu'il prévoyait se produit. En humant les odeurs du mâle, l'inassouvie se met à meugler bruyamment. Le fils d'Alcmène repère le lieu, occit le brigand et reprend son bien.

Hercule et le sanglier d'Erymanthe, fin XVIᵉ siècle ou début XVIIᵉ siècle. Ecole italienne (Musée Bonnat, Bayonne).
© Photo RMN - © Jacques L'Hoir/Jean Popovitch

En passant du côté de Cumes, le héros est sollicité par les habitants qui désireraient doter leur temple d'un ex-voto qui susciterait un pèlerinage. Il leur offre les prestigieuses défenses du sanglier d'Erymanthe.

Au moment d'embarquer son troupeau à la pointe de la Calabre, le vainqueur de Géryon perd un veau qui est tombé à la mer. Apprenant qu'il a été repêché et confisqué par le roi Eryx, il provoque celui-ci en combat singulier. Il triomphe et récupère la bête.

Strabon, géographe grec ;
vers 63 av. J.-C. - v. 20-24 apr.
J.-C. Portrait, gravure sur
cuivre, XVIᵉ siècle.
(Bibliothèque nationale de
France, Paris) .
© akg-images

Ce récit du retour d'Erythie, malgré ses anachronismes, permet donc de retracer les grandes lignes d'un des premiers itinéraires terrestres suivis dans l'Antiquité depuis le sud de l'Espagne jusqu'au sud de l'Italie

La *Via Heraklea*

La réelle existence d'une voie transversale, la *Via Heraklea*, est authentifiée par cinq historiens grecs et gréco-romains. Le premier d'entre eux, le moins connu, a été appelé le « pseudo-Aristote ». On estime qu'il a vécu entre 300 et 200 av. J.-C. Au chapitre LXXV de son ouvrage intitulé *De mirabilis auscultationibus*, il rapporte que depuis de nombreuses années, un chemin désigné sous le nom d'Héракléen conduisait chez les Celtes et les Ibères. Il nous précise que cette voie était utilisée à la fois par les Grecs et par les indigènes.

Le « pseudo-Aristote » nous apprend que les habitants des contrées traversées étaient tenus d'assurer une surveillance continue de cette route afin qu'il n'arrivât aucun mal aux usagers. Si, malgré cette protection, certains voyageurs étaient volés ou maltraités, les tribus riveraines étaient lourdement châtiées. On savait déjà à cette lointaine époque qu'un axe de circulation voyait sa fréquentation progresser à condition de pouvoir l'emprunter en toute tranquillité.

La seconde description de l'itinéraire préromain figure dans le 3e livre des *Histoires* de Polybe de Megalopolis (202 à vers 120 av. J.-C.). Déporté comme otage à Rome, il avait été attaché comme secrétaire à Scipion Emilien qu'il avait accompagné à Carthage. Vers 145 av. J.-C., il était rentré en Italie en empruntant le trajet suivi par Hannibal soixante-dix ans auparavant. Historien scrupuleux, il avait recueilli des témoignages oraux tout au long de son périple.

Il relate en particulier que les Romains, bien avant leur implantation en Narbonnaise et en Tarraconaise, avaient eu soin de faciliter le trafic sur cet axe qui était essentiel pour leurs marchands en relation avec l'Ibérie. Ils avaient érigé des bornes de 8 stades en 8 stades, c'est-à-dire tous les 1 450 mètres, soit approximativement tous les milles romains. Polybe précise ainsi que la distance entre Ampurias et Narbonne était de 600 stades (environ 110 kilomètres) et entre Narbonne et le Rhône de 1 000 stades (environ 180 kilomètres).

La troisième citation se rencontre dans le 4e volume de la *Géographie* de Strabon (vers 58 av. J.-C.). On y trouve trois variantes pour le tracé reliant le Rhône à l'Italie. La branche nord remonte la vallée du fleuve et franchit les Alpes au mont Cenis pour dégringoler sur Aoste. Le trajet médian suit la vallée de la Durance à travers le pays des Voconces pour passer au col de Mont-Genèvre d'où il descend sur Suse.

Enfin, Strabon mentionne la « route du littoral », c'est-à-dire celle qui a repris un tracé voisin de la voie Hérakléenne. Il précise qu'elle a été aménagée par les Massaliotes, les Phocéens de Marseille, et qu'elle a été ensuite fréquentée par les Ligures. Il ajoute que cet itinéraire a l'inconvénient d'être plus long que le précédent, mais que les cols qui permettent de traverser les Alpes sont plus faciles d'accès car la montagne est déjà bien plus basse à cet endroit.

Un des auteurs dont se serait inspiré Strabon pour ce passage de sa *Géographie* serait l'historien grec Artémidore d'Ephèse.

La quatrième référence apparaît dans la *Bibliothèque historique* de Diodore de Sicile (90 à 20 av. J.-C.). Celui-ci a largement puisé dans les écrits, malheureusement disparus, de l'érudit Poseidônios d'Apamée. Diodore évoque le mythe de l'Héraklès perceur de routes. « *Il rabota les aspérités du chemin menant de Celtique en Italie et supprima les obstacles, afin que cette voie puisse être fréquentée plus facilement par les commerçants et par les armées avec leurs équipages.* »

Enfin, le fils d'Alcmène est à nouveau invoqué par le cinquième auteur, Ammien Marcellin d'Antioche (vers 330 à vers 400 apr. J.-C.) qui cite un texte de Timagène d'Alexandrie : « *Hercule de Thèbes a ouvert la route du littoral lorsqu'il est allé tuer Géryon.* »

La forte fréquentation de la voie Hérakléenne est suggérée par l'implantation d'oppida de hauteur préromains à proximité des gués ou des embarcadères des bateaux faisant la navette sur les fleuves : *Illiberis*/Elne près du Tech, *Ruscino*/Château-Roussillon près de la Têt, Montlaurès près de l'Aude, *Cessero*/Saint-Thibéry sur l'Hérault, *Substantio*/Castelnau sur le Lez, *Ambrussum*/Villetelle sur le Vidourle, *Théliné*/Arles sur le Rhône et *Cabellio*/Cavaillon sur la Durance.

L'expédition d'Hannibal

Tous les collégiens qui ont eu la chance de s'initier à la langue latine et à l'histoire de Rome conservent en mémoire la terrible imprécation de Caton l'Ancien : « Censeo Karthaginem esse delendum ! » (J'estime qu'il faut détruire Carthage).

En communicateur très convaincant, le censeur savait se muer en comédien. Pour bien sensibiliser son auditoire et pour lui faire comprendre que l'ennemi n'était pas loin des portes de Rome, il avait soulevé sa toge et il avait laissé tomber à ses pieds le contenu d'un couffin de figues d'Afrique. Pendant que les sénateurs admiraient leur grosseur et leur fraîcheur, Caton les avait apostrophés : « La terre qui produit de si beaux fruits se trouve seulement à trois jours de bateau de Rome [1]. »

Cette scène légendaire se situe aux alentours de 171 av. J.-C. à savoir plus de quarante-cinq ans après l'invasion du Latium par les Carthaginois. La lourde menace qu'avait fait peser Hannibal n'était pas encore sortie des esprits. Caton jouait donc sur ce sentiment de terreur pour faire voter par le Sénat une nouvelle guerre contre les Puniques [2].

« Hannibal traverse les Alpes », gravure sur bois par Heinrich Leutemann, 1866.
Coll. Archiv f. Kunst & Geschichte, Berlin. (Akg-images)

---

1 Plutarque. *Caton le Majeur*, XXVII, 1.

2 A Rome, les Carthaginois d'Afrique et d'Espagne étaient appelés *Poeni*, d'où l'adjectif « punique » en français.

Un haut fait d'armes

Entre Héraclès et Domitien, le personnage le plus fameux à avoir suivi la route antique reliant l'Italie à l'Espagne est incontestablement le général carthaginois Hannibal Barca.

En avril 218 av. J.-C., il avait quitté Carthagène (*Karthago nova* : la nouvelle Carthage) que les Puniques avaient fondée vers 228 av. J.-C. dans le sud des Hispanies pour en faire la capitale du pays qu'ils avaient conquis sur les Ibères.

Il avait à peine 29 ans lorsqu'il avait pris la tête d'une armée d'au moins 60 000 hommes pour aller surprendre par les Alpes les généraux romains, qui s'attendaient à une attaque par mer.

Grand admirateur d'Alexandre le Grand, il avait en tête de rééditer les exploits de celui-ci à l'occasion de sa campagne victorieuse qui avait conduit le jeune roi de Macédoine en Asie jusqu'au delta du Gange.

A son tour, Hannibal devait servir de modèle deux mille ans plus tard à Napoléon Ier lors de ses campagnes d'Europe et ensuite à Hitler lors de son raid éclair à travers la Belgique.

Hannibal et sa guerre demeurent encore de nos jours un des canons de l'art militaire. En plus d'avoir été un stratège de talent, le général carthaginois n'a jamais cessé d'être admiré pour sa manière de préparer et de gérer un conflit.

Il n'aurait jamais accepté de lancer son armée avant d'avoir pu réunir des régiments bien entraînés et bien équipés. Il avait également déployé une intense activité diplomatique pour pouvoir circuler sans grands risques entre Carthagène et l'Italie. D'une part il avait fait reconnaître les itinéraires à suivre et d'autre part ses envoyés s'étaient assuré la neutralité des populations dont il fallait traverser le territoire.

Hannibal

Hannibal appartenait à la grande noblesse punique. Dès qu'il eut atteint l'âge de 9 ans, son père le général Hamilcar Barca l'avait associé à ses campagnes dans les Hispanies. Il s'était surtout attaché à lui inculquer la haine des Romains, les farouches ennemis de Carthage.

Adolescent, il avait conquis l'estime et l'admiration des troupes qui occupaient l'Ibérie en sachant partager l'ordinaire quotidien des soldats et en dormant avec eux à même le sol, simplement enroulé dans un manteau.

A la mort par noyade de son père, aux environs d'Elche, Hannibal n'avait que 16 ans. Deux ans après, Hasdrubal, le gendre d'Hamilcar Barca, avait remplacé son beau-père aux commandes des Hispanies. Il avait choisi comme vice-gouverneur son jeune beau-frère. Bien lui en avait pris, car Hasdrubal disparut à son tour en - 221. Hannibal prit sans problème sa succession à Carthagène, où il épousa une Ibère appelée Himilcat. Vaincu sur ses terres à Zama Regia par Scipion l'Africain, le général punique dut s'exiler en Asie Mineure. Menacé d'être livré aux Romains par le roi de Bithynie, il s'empoisonna en - 183, préférant la mort à l'humiliation de la captivité chez ses ennemis mortels.

Hannibal. Buste identifié à Hannibal, trouvé à Capoue.
Museo Nazionale Archeologico, Naples. (Akg-images)

Les sources historiques

Comme beaucoup de chefs de guerre de l'Antiquité, Hannibal avait eu soin d'amener avec lui un lettré chargé de rédiger un journal de campagne.

On connaît le nom de cet historien, le Grec Silenos, dont les écrits ne sont pas parvenus jusqu'à nous. Par chance, ils ont été utilisés par deux auteurs latins qui se sont passionnés pour les guerres puniques.

Le premier Polybe, né en Grèce à Megalopolis en 206 av. J.-C., avait été pris en otage en 166 av. J.-C. Devenu précepteur de Scipion Emilien, il avait suivi celui-ci dans une mission à Carthage. Sur le chemin du retour, il avait refait en 150 av. J.-C. le voyage d'Hannibal en interrogeant les Ibères et les Gaulois dont les parents ou les grands-parents avaient pu assister à la longue marche des Carthaginois.

L'intérêt de l'œuvre laissée par Polybe consiste dans l'évaluation des distances parcourues par l'armée punique.

En authentique scientifique, Polybe reconnaît qu'il ne détient pas la vérité absolue car ses enquêtes sur le terrain n'ont pas pu avoir la rigueur nécessaire à cause de l'obstacle des langues.

« Il n'est pas du tout facile d'obtenir de vive voix des informations et des explications sur ce que l'on a pu voir quand on ne connaît pas la langue de la contrée [3]. »

Le deuxième écrivain à s'être investi dans le récit de la campagne d'Hannibal est un des grands maîtres de l'histoire romaine, Tite-Live qui vécut de 59 av. à 17 apr. J.-C.

Auteur très prolifique, il n'affiche pas la même rigueur que Polybe, de cent cinquante ans son aîné, dans lequel il a fréquemment puisé. De plus, ce familier de l'empereur Auguste pense surtout à exalter les valeurs de ses concitoyens. Il manque donc souvent d'impartialité.

Quoi qu'il en soit, Polybe et Tite-Live demeurent encore deux sources incontournables pour les très nombreux biographes du général carthaginois.

Les guerres puniques

Pour bien comprendre les motivations d'Hannibal, il est indispensable de s'intéresser à la lutte acharnée qui a opposé Rome et Carthage pour la conquête de la Méditerranée occidentale.

Au fur et à mesure de l'emprise croissante des Romains sur le commerce maritime, les situations conflictuelles se multiplièrent.

La première guerre, qui eut pour principal cadre la Sicile, dura vingt-trois ans (264 à 241 av. J.-C.). Elle se termina par la défaite de Carthage qui dut abandonner l'île en totalité.

Après la signature de la paix, les généraux Hamilcar Barca et Hannon le Grand réprimèrent avec vigueur la révolte des mercenaires qui s'étaient soulevés car ils n'étaient plus payés [4].

La deuxième guerre punique, celle où fut impliqué Hannibal, se prolongea de 218 à 201 av. J.-C.

La troisième, qui se déroula en Afrique et qui se termina par la destruction de Carthage, ne dura que trois ans (149 à 146 av. J.-C.). Elle vit la victoire du général romain Scipion Emilien allié au roi numide Massinissa.

Sans qu'elle soit jamais mentionnée à cette occasion par les historiens de l'Antiquité, la voie Hérakléenne se trouva au cœur de l'expédition menée par Hannibal pendant la deuxième guerre qui a opposé Rome à Carthage.

---

3 Polybe. *Histoires*, 3.48.

4 Cet épisode a inspiré le roman de Flaubert, *Salammbô*.

L'armée d'Hannibal et le train des équipages

Il y a de quoi être frappé d'admiration devant le volume des contingents levés par Hannibal pour se lancer à la conquête de l'Italie, surtout lorsque l'on considère que le bassin méditerranéen était environ dix fois moins peuplé qu'aujourd'hui.

En se fiant à Polybe, on évalue à 50 000 hommes le total des fantassins rassemblés à Carthagène en avril 218 av. J.-C. L'essentiel de la troupe était constitué par des soldats puniques arrivés par mer, par des insulaires des Baléares entraînés au maniement de la fronde et par des régiments de mercenaires enrôlés en Ibérie.

Polybe cite le chiffre de 8 000 cavaliers, en majorité recrutés en Numidie, c'est-à-dire dans le royaume d'Afrique du Nord, devenu plus tard la Kabylie. Ils étaient réputés à cause de la rapidité de leurs chevaux, que nous appelons aujourd'hui arabes, et à cause de leur habileté à manier la dague, une courte épée qu'ils avaient empruntée aux Daces.

A ces unités combattantes, il faut ajouter un train des équipages considérable que l'on peut évaluer aux alentours de 17 000 mules et mulets[5]. Ajoutés aux 8 000 chevaux numides, on parvient à un total de 25 000 équidés à nourrir et soigner pendant 1 600 kilomètres.

Il était exclu pour Hannibal de faire accompagner ses troupes par des chariots. D'une part, le chemin dédicacé à Héraklès ne consistait, en fait, qu'en une piste muletière de 8 ou 9 pieds de large où les véhicules n'auraient pu avancer que l'un derrière l'autre. En plus, le fait de rouler à une très faible allure aurait trop ralenti l'avancement d'une armée qui recherchait surtout l'effet de surprise.

---

5 Au sujet de la traversée des Alpes, Polybe évoque une *multitude* de bêtes de somme

Les éléphants

Le souvenir d'Hannibal reste romantiquement associé à celui de ses éléphants. Certes, ceux-ci n'ont pas formé un véritable régiment puisqu'ils n'ont été que trente-sept à prendre le départ de Carthagène en 218 av. J.-C. Pourtant, leur image a imprégné pendant plus de mille ans la mémoire des populations riveraines.

L'idée d'utiliser ces pachydermes comme des troupes d'assaut, a été inspirée aux Carthaginois par le roi d'Epire Pyrrhus (319 à 272 av. J.-C.) qu'ils combattirent en Sicile. Toutefois au lieu d'acquérir de grands éléphants d'Asie d'une hauteur de 3,50 mètres au garrot, les Puniques avaient domestiqué la race jadis spécifique à l'Afrique du Nord d'une hauteur au garrot de 2,50 mètres seulement.

L'« Elephantus africanus orleansi » était utilisé sur le plan militaire pour enfoncer les lignes ennemies pendant les batailles rangées. Il semble toutefois qu'il redevait davantage de la guerre psychologique. Ces ancêtres des chars d'assaut, massifs et cauchemardesques, remplissaient d'effroi les armées adverses. On peut d'ailleurs facilement imaginer la terreur qu'ils inspiraient en se remémorant la panique des soldats alliés censés tenir la trouée de Sedan en mai 1940 lorsqu'ils virent déferler soudainement les Panzer du général allemand Gudérian.

Depuis Carthagène jusqu'aux cols alpins, les éléphants paraissent avoir été divisés en deux escadrons. Le premier, placé en tête, avait pour rôle de dissuader toute velléité d'empêcher la colonne de poursuivre son chemin. Le second, qui marchait à l'arrière, permettait de prévenir des dangers d'une attaque à l'improviste.

On peut donc imaginer l'ordonnancement de l'immense colonne en marche. Derrière les premiers éléphants venaient l'état-major et les aides de camp montés sur des chevaux de selle. Ils étaient suivis par les mulets du train des équipages alternant avec des cohortes de fantassin.

Les cavaliers numides avançaient en serre-flanc de chaque côté de la file centrale.

Ce dispositif ne devait pas manquer de provoquer de dangereux embouteillages chaque qu'il fallait emprunter un défilé ou bien traverser une rivière soit par un gué soit par un pont improvisé.

Bataille d'Heraclea durant laquelle Pyrrhus, roi d'Épire, appelé à l'aide par Tarente, bat les Romains, gravure sur cuivre de 1630.

(Akg-images)

Les convois de bêtes de somme permettaient d'ailleurs d'éviter les fatigues des fantassins en prenant en charge leur « impedimentum », à savoir leurs armes et bagages dont le poids, par homme, variait autour de 100 livres (40 kilos).

Le train des équipages transportait le grain pour les rations quotidiennes des soldats, les fers à chevaux et à mulets, les sacoches contenants les talents d'argent destinés à la solde des militaires, les munitions telles que javelots, flèches et balles de fronde, les médicaments pour les hommes et les animaux, les toiles et les piquets pour les campements, les haches des bûcherons, les faucilles et les sacs des fourriers à qui incombaient de prélever les blés et les foins au fur et à mesure de la traversée des riches plaines.

A raison d'un muletier pour trois bêtes de somme, l'effectif en hommes du train des équipages se montait à près de 8 000 accompagnateurs, en y incluant les selliers, les bastiers, les bourreliers, les cantiniers, les valets d'armes, les préposés à la garde des bagages, les charpentiers affectés à la construction des ponts de bateaux et de radeaux, les vétérinaires et les maréchaux-ferrants. Cette revue d'effectifs permet de conclure qu'Hannibal avait sous ses ordres près de 70 000 combattants et non combattants.

Tenter de faire défiler une telle troupe sur la chaussée de la voie Héracléenne aurait été aussi absurde que d'essayer de dérouler une quenouille de laine à travers le chas d'une aiguille.

En réalité, l'étroit chemin préromain servait surtout de fil conducteur en évitant à l'avant-garde de prendre une mauvaise direction.

Pour qu'une telle armée ne soit pas freinée dans sa marche, il était indispensable que fantassins, cavaliers et muletiers s'étalent de part et d'autre des bordures en profitant des espaces disponibles, ce qui n'aurait pas été possible avec des chariots.

La marche à travers l'Ibérie et le passage des Pyrénées

En fonction d'accords passés après leur évacuation de la Sardaigne, les Carthaginois avaient les mains libres dans toute la partie des Hispanies située au sud de l'Ebre. Les Romains avaient gardé des liens avec l'enclave de Sagonte, une place forte implantée sur le bord de la Méditerranée.

Avant de se mettre en route, Hannibal avait tenu à s'extraire cette épine du pied, avec d'autant plus d'obstination qu'il s'agissait d'une étape sur la voie antique reliant Cadix à Brindisi. Un des vases appolinaires de l'époque d'Auguste le mentionne sur le trajet entre Valence et *Dertona*/Tortosa[6].

Le siège dura huit mois, ce qui obligea les Puniques à retarder leur départ de Carthagène.

Jusqu'à l'Ebre, c'est-à-dire jusqu'à Tortosa, la marche de l'armée se déroula sans escarmouche. Les évènements se compliquèrent après la traversée du fleuve, car Hannibal avait dû abandonner l'itinéraire d'Heraklès, pour obliquer vers l'ouest. Les Phocéens, alliés des Romains, tenaient solidement Ampurias. Il était donc préférable de passer le plus loin possible de la côte afin d'éviter des affrontements meurtriers. En contrepartie, ce changement d'itinéraire avait contraint Hannibal à soumettre les ethnies celtibères qui occupaient alors l'ouest de l'Ampourdan comme les Ilerdes de *Llerda*/Lérida et les Bergusions de Berga.

Pour franchir les Pyrénées sans risque de bouchonner, les Carthaginois paraissent avoir divisé leur armée en trois corps qui auraient adopté chacun un trajet différent.

Le plus à l'est aurait suivi la voie du bord de mer, c'est-à-dire le chemin d'Heraklès par le petit col des Balitres et Cerbère. Le deuxième aurait franchi le dernier chaînon des Albères en

6 Voir infra, p.39

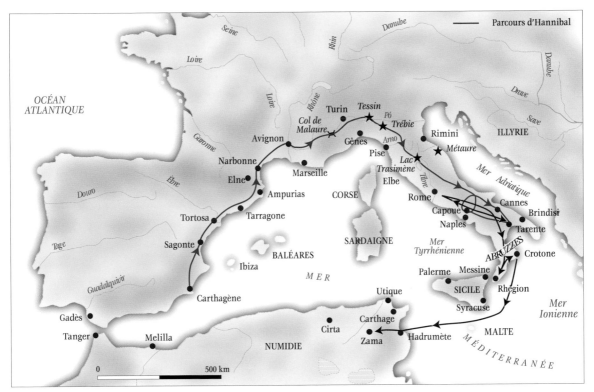

Parcours d'Hannibal en 218, 217 et 216 av. J.-C.

empruntant le col appelé aujourd'hui de Banyuls enfin le troisième aurait transité par le col de Panissars, celui même que, cent ans plus tard, le pro-consul Domitius choisira pour implanter sa route charretière de l'Ebre au Rhône.

Les trois corps d'armée se regroupè-rent, pour y camper, dans la plaine située au nord de l'oppidum ibère d'Elne. Pendant cette halte, Hannibal et son état-major chevauchèrent jusqu'à *Ruscino*/Château-Roussillon afin d'y rencontrer les chefs des eth-nies celtes qui occupaient les bords de la Méditerranée depuis la Tet jusqu'au Rhône.

Il s'agissait pour les Carthaginois d'obtenir des garanties tant sur le plan de leur marche au long de la voie Hérakléenne que sur le plan des pos-sibilités de ravitaillement.

Polybe relate qu'Hannibal obtint des Gaulois tout ce qu'il désirait, tant par des menaces que par des subsides en argent. Sa troupe put ainsi cheminer sans encombre depuis Narbonne jusqu'au Rhône, protégée sur son flanc droit par la flotte punique qui longeait la côte.

La toponymie a conservé quelques traces de cette marche mythique à tra-vers la Narbonnaise. Parmi ces indices, le plus plausible pourrait être le sou-venir de la fontaine des éléphants à Cournonterral, village situé à 2 kilo-mètres au nord du chemin d'Heraklès.

Fontaine des Éléphants à Cournonterral.
(Photo J. Debru)

A partir de Nîmes, les Carthaginois s'éloignèrent du tracé de la voie antique. Au lieu de se diriger sur Beaucaire ou sur Arles, ils infléchirent leur marche vers le nord dans le but de ne pas s'approcher de la colonie phocéenne de Marseille qui était une solide alliée des Romains. Par faute d'indications, le point de passage du Rhône n'a jamais été formellement repéré et selon les historiens contemporains, on ne connaît pas son emplacement qui peut bouger entre Tarascon et Pierrelatte.

L'hypothèse la plus récente et la plus corroborée a été émise par Jean-Pierre Renaud [7], qui aligne de nombreux arguments en faveur d'un franchissement entre les Angles et Avignon.

Comme il n'était pas question de passer à gué, les Puniques durent mettre en place un pont provisoire, opération qui leur prit cinq jours. Ils achetèrent, ou réquisitionnèrent, les bateaux et les barques disponibles dans le secteur.

Le gros problème fut celui du transfert des éléphants d'une rive à l'autre, car ces animaux sont terrorisés par les eaux qui bouillonnent. Les charpentiers entreprirent de confectionner d'immenses radeaux reliés à un embarcadère assujetti à la terre ferme par des cordages noués aux arbres de la berge. Les soldats imaginèrent de tapisser ce ponton avec des mottes de gazon au milieu desquelles ils disposèrent un chemin de terre qui leurra les pachydermes.

Les chevaux, qui sont de parfaits nageurs, furent attachés quatre par quatre à la proue des bateaux et parvinrent ainsi sur l'autre bord en même temps que les soldats.

L'extrême rapidité de l'avancée d'Hannibal depuis *Ruscino* prit le consul Publius Scipion au dépourvu.

Ce dernier renonça à affronter les Carthaginois dans la vallée du Rhône et il rembarqua sa légion dans le golfe de Fos avec l'intention de mener le combat au débouché des vallées alpines dans la plaine du Pô.

---

7 Jean-Pierre Renaud. « L'Itinéraire transalpin d'Hannibal. La fin d'une énigme ? » in *Archeologia*, n° 324, juin 1996, p. 48 à 55.

Le passage du Rhône par
Hannibal, dessin de Camille
Gilbert en 1879.
(Coll. Ch. Le Corre)

Le passage des Alpes

On ne connaît pas plus l'itinéraire emprunté par Hannibal pour passer en Italie que le point précis où son armée a franchi le Rhône. Au moins dix trajets et autant de cols ont été proposés par les historiens.

Si l'on s'en réfère, là aussi, aux travaux novateurs de Jean-Pierre Renaud, on est conduit à opter pour la rive nord de la Durance où se perpétue depuis l'Anti-quité une vénérable draille qui conduisait les moutons vers les alpages. Ainsi l'île qui, pour Polybe, évoquerait le delta du Nil, ne serait autre que le bassin inscrit entre la Durance et le Buech, au nord de l'oppidum de *Seguistero*/Sisteron.

Jean-Pierre Renaud avance que les Carthaginois auraient quitté le chemin, qui devait devenir plus tard la *Via Domitia*, à hauteur de Mont-Dauphin pour remonter la vallée du Guil

Chapelle du Xᵉ siècle à Saint-Pierre-d'Extravache.
(Photo J. Debru)

et pénétrer en Italie par le col de Malaure, situé au sud du col du Mont-Genèvre. C'est au long de ce « raccourci » que l'armée punique rattrapée par la neige de novembre enregistra de lourdes pertes aussi bien à cause de l'étroitesse du chemin muletier quasiment impraticable qu'à cause des harcèlements ininterrompus des ethnies riveraines.

Debout sur un rocher, Hannibal montre l'Italie et le pays au-delà du Pô à ses soldats. Gravure sur bois de Hugo Bürkner, 1855.
Coll. Archiv f. Kunst & Geschichte, Berlin. (Akg-images)

Une fois franchie la ligne de crête, Hannibal arrêta ses troupes sur une plate-forme où la vue s'ouvrait sur la plaine du Pô baignée de soleil. Relayé de cohorte en cohorte par des interprètes et par des soldats à la voix puissante, il harangua ses troupes en leur faisant miroiter les richesses du pays qu'ils allaient conquérir et en leur désignant la direction de Rome, la ville ô combien détestée.

La descente vers Turin fut aussi meurtrière que la montée, le chemin ayant été obstrué par les neiges et les éboulements. L'armée punique avait donc enduré une longue épreuve depuis le Queyras. Au pied des Alpes, elle ne comptait plus que 20 000 fantassins et 6 000 cavaliers. Seul l'escadron des éléphants avait survécu en totalité.

Les populations alpines attaquent l'armée d'Hannibal dans les passages de la vallée de la Durance, près de Briançon. Aquarelle de Peter Connolly, 1977.
(Akg-images/Peter Connolly)

Légende à venir.

Entrée d'Hannibal dans Capoue après sa victoire à la bataille de Cannes, le 2 août 216 av. J.-C. Aquarelle de Peter Connolly, 1981.
(Akg-images/Peter Connolly)

La guerre éclair

Malgré un effectif réduit de près de moitié, Hannibal entreprit une campagne qui fait toujours référence dans les écoles militaires. Sans attendre le renfort de la légion du consul Tiberius, Publius Scipion remontait la vallée du Pô à marches forcées. C'est après avoir franchi la rivière Tessin qu'il se heurta aux Carthaginois. Le combat des fantassins étant très indécis, Hannibal fit encercler ses ennemis par la cavalerie numide qui emporta la décision.

La seconde bataille de la plaine du Pô, qui se déroula aux abords de la rivière de la Trebbie, se termina par un nouveau succès des Puniques contre les deux armées réunies de Publius Scipion et Cornelius. Une fois encore, le général punique était parvenu à prendre en tenailles un adversaire pourtant supérieur en nombre grâce à ses éléphants et à sa cavale-

rie. Polybe précise qu'on était alors aux environs du solstice d'hiver, c'est-à-dire autour du 25 décembre en 218 av. J.-C.

Après une pause jusqu'à l'équinoxe de printemps, Hannibal coupa tout droit à travers la zone marécageuse de l'Etrurie (Toscane). Cette manœuvre lui permit de surprendre le nouveau consul Flaminius qui campait devant Arezzo. Il réussit à faire engager l'armée romaine dans un étroit chemin bordé d'un côté par une falaise et de l'autre par le lac Trasimènes. L'embuscade fut totalement réussie, Flaminius y périt tout comme 15 000 des siens.

L'armée punique se dirigea alors vers l'Adriatique en traversant l'Ombrie. Arrivé dans une contrée prospère, Hannibal « fit reprendre des forces à ses chevaux et raffermit le corps et la tête de ses soldats », tout en reprenant contact directement

avec Carthage grâce aux navires de mer. Une fois remises en forme, les troupes carthaginoises s'en allèrent occuper le Samnium sans avoir de combat à livrer.

L'été écoulé, Hannibal décida de prendre ses quartiers d'hiver dans les Pouilles où il s'établit dans la ville fortifiée de Gerounion.

A la fin de l'hiver, l'armée punique se transféra dans la place forte de Cannes où les Romains entreposaient les vivres pour leurs troupes en campagne. Décidé à s'opposer à un envahisseur encombrant, le consul Cnaeus Seruilius réunit huit légions, soit au total 40 000 fantassins et 2 000 cavaliers auxquels il faut ajouter 30 000 auxiliaires étrangers.

Bien qu'en infériorité numérique, les Carthaginois mirent les Romains en déroute lors de la bataille rangée qui se déroula aux portes de Cannes

au mois d'août de l'année 216 av. J.-C. Cette fois encore, les artisans de la victoire furent les cavaliers numides.

Les délices de Capoue

La victoire totale d'Hannibal le plaçait à quatre jours de marche seulement de Rome, dépourvue de troupes de protection. Le général punique préféra prendre la direction de Capoue, la capitale de la Campanie, dont le sénat lui avait proposé un traité d'amitié.

C'est dans cette cité opulente, étape majeure sur la Via Appia, que l'armée carthaginoise passa une grande partie de l'hiver 217-216 av. J.-C. Ces soldats qui avaient enduré mille privations depuis leur départ de Carthagène au printemps 218 av. J.-C. « se perdirent par l'excès de bien-être et de plaisirs ».

La *Via Appia Antica*, route militaire entre Rome et Capoue, construite en 312 av. J.-C., est bordée de tombes et mausolées à l'extérieur des portes de Rome.
(Photo H. Champollion)

**Calendrier des marchés
(IIe siècle av. J.-C.) :
Capoue est inscrite
entre Rome et Casino.**
(Museo Nazionale Archeologico,
Naples)

ceutique et du commerce des parfums. Le marché qui s'y tenait de huit jours en huit jours rivalisait avec celui de Rome.

L'écart était immense entre les grands vins et la bonne chère de Capoue et l'ordinaire militaire à base d'eau et de galettes de farine, entre le sommeil sur les tapis moelleux des maisons cossues et les nuits à la dure sous la tente, entre la volupté des bains chauds et l'impossibilité de se laver chaque jour pendant les marches et, surtout, entre les mois d'abstinence et les bataillons de prostituées africaines qui officiaient avec entrain dans les riches lupanars que fréquentait la foule des marchands. Il n'est pas surprenant que les soldats puniques aient perdu « toute vigueur physique et morale ainsi que toute discipline ».

Hannibal comprit alors qu'il lui fallait abandonner son projet de dominer toute l'Italie. Sa tactique fut alors de s'emparer des ports de Tarente et de Syracuse où il lui serait plus aisé de recevoir des troupes fraîches envoyées par Carthage.

Entre-temps, les Romains avaient mis le siège devant Capoue, ce qui décida Hannibal à marcher sur Rome. Les deux batailles qui se livrèrent devant les murailles furent interrompues chaque fois par un déluge de pluie et de grêle.

Se rendant compte qu'ils n'avaient plus la maîtrise du terrain, les Carthaginois décidèrent de faire appel à l'armée d'Hasdrubal, le demi-frère d'Hannibal. Les troupes puniques, aussi nombreuses qu'en 218 av. J.-C., suivirent le même itinéraire, en longeant la voie Hérakléenne des Pyrénées au Rhône. Bénéficiant de l'expérience précédente, cette

Selon les écrits de Cicéron[8], Capoue était une ville très étendue et très riche en monuments. Elle était à la fois l'entrepôt et le grenier de la Campanie. Elle était devenue le pôle italien de l'industrie pharma-

---

8 Cicéron. *De lege agraria* 2.76 et 2.80.

deuxième expédition avança bien plus rapidement.

Malheureusement, Hasdrubal perdit un temps précieux en essayant, en vain, de s'emparer de Plaisance. Le consul Néron put donc réussir à intercepter la colonne ennemie avant qu'elle fasse sa jonction avec les troupes de son demi-frère. La bataille se déroula au passage du fleuve Métaure. Les Puniques furent anéantis.

Leur général mourut au combat en même temps que plus de 50 000 de ses soldats (207 av. J.-C.).

Dès lors, Hannibal n'eut plus que la solution de se replier dans les Abruzzes qui avaient l'avantage pour lui, d'offrir un terrain accidenté facile à défendre et plusieurs ports maritimes d'où il était possible de s'embarquer. C'est ce qu'il fit en 202 av. J.-C. pour aller affronter Scipion l'Africain qui occupait la région de Carthage. La deuxième guerre punique se termina avec l'écrasante victoire des Romains à Zama.

Elle avait duré dix-sept ans !

La bataille de Zama, dessin de Giulio di Petro de Pippi, Paris, Musée du Louvre.
(Photo RMN - © Jean-Gilles Berizzi)

ITINERARIVM

	VALENTIAM	XX
XVI	SAGVNTVM	XVI
	AD NOVLAS	XXII
	ILDVM	XXII
VIII	INTIBILIM	XXIII
XXIII	DERTOSAM	XXV
XX	SVBSALTVM	XXIII
XV	TARRACONEM	XXVII
XII	PALFVRIANAM	XVI
XXIII	ANTISTIANAM	XIIII
X	ADFINES	XVII
XVII	ARRAGONEM	XX
XVIII	SEMPRONIANA	VIIII
XIII	SETERRAS	XXIIII
XXXII	AQVIS VOCONTIS	XV
XXIII	GERVNDM	XII
XIX	CILNIANAM	XII
XX	IVNCARIAM	XV
XX	INPYRAENEVM	XVI
XXIII	RVSCINONEM	XXV
XXII	COMBVSTA	VI
XVI	NARBONEM	XXXII
	BAETERRAS	XVI
XII	CESSERONEM	XII
	FORVM DOMITI	XVII
XVI	SEXTANTIONEM	XV

M · P · LX

La *Via* et les historiens

Les gobelets de Vicarello

La grande chance des historiens de la voie Domitienne se situe au niveau d'une trouvaille quasi miraculeuse. En nettoyant les boues de la station thermale de Vicarello, l'antique *Aquae Apollinares*, des ouvriers ont découvert trois gobelets en 1852, puis un quatrième en 1863. Ces timbales, qui sont appelées tantôt gobelets de Vicarello, tantôt vases apollinaires, étaient certainement destinées à des curistes fortunés venus prendre les eaux. De nos jours on vend encore dans les villes thermales des verres décorés pour aller boire aux sources guérisseuses.

L'originalité des vases apollinaires, en forme de borne milliaire cylindrique, réside dans leur décor organisé en quatre panneaux verticaux à l'intérieur desquels était gravée la liste de tous les relais routiers entre Cadix et Rome. Mieux encore, à la suite de chaque nom figure la distance en milles qu'il fallait parcourir jusqu'à l'étape suivante.

Ces gobelets sont datés pour trois d'entre eux de l'époque du principat d'Auguste (31 av. J.-C.) et pour le dernier de l'extrême fin de son règne (14 apr. J.-C.). Ils représentent le plus ancien itinéraire jamais décrit d'une façon aussi détaillée. De plus, nous sommes en possession d'originaux. Les noms gravés sur les timbales sont ceux qui étaient usités à ce moment-là, soit à peine moins de cent ans après l'ouverture du chemin de chars allant jusqu'au fin fond de l'Ibérie.

Il existe quelques différences de graphie entre les quatre gobelets, mais elles s'avèrent comme très minimes. Dans la plupart des cas, il s'agit d'une variation dans les déclinaisons adoptées par les orfèvres locaux. Toujours est-il que la *Via Domitia* nous est livrée avec chacune de ses étapes du début de notre ère depuis les Pyrénées jusqu'aux Alpes.

La Table de Peutinger

Les Romains peuvent être également considérés comme des précurseurs en matière de cartes routières. Ils les appelaient *itinerariae pictae*/itinéraires peints. En fait, il s'agissait plutôt de cartes d'état-major que de guides pour les voyageurs. L'historien Végèce (fin du IVe siècle apr. J.-C.) n'écrivait-il pas dans son *Epitomée des choses militaires* (III. 6) qu'un commandant doit avant tout posséder des itinéraires peints de toutes les régions où il conduit une guerre avec non seulement les distances en pas entre les différents lieux mais aussi l'état et la qualité de la voirie ?

La Table de Peutinger est le seul itinéraire peint parvenu jusqu'à nous. Il s'agit d'un atlas colorié de l'ensemble des routes de l'Empire depuis la côte est de la Grande-Bretagne jusqu'à l'embouchure du Gange.

Ce document n'apporte pas la rigueur historique des vases apollinaires car les seuls exemplaires de la carte qui nous ont été transmis s'avèrent être des copies de copies, avec tous les risques d'erreur qui en résultent.

A l'origine, la plus sérieuse hypothèse fait dériver la Table de la grande carte de l'Empire romain que M. Vipsanius Agrippa, gendre d'Auguste, avait fait peindre sur le mur d'un portique. Cet atlas d'Agrippa aurait lui-même succédé à un document bien plus ancien qu'évoquait

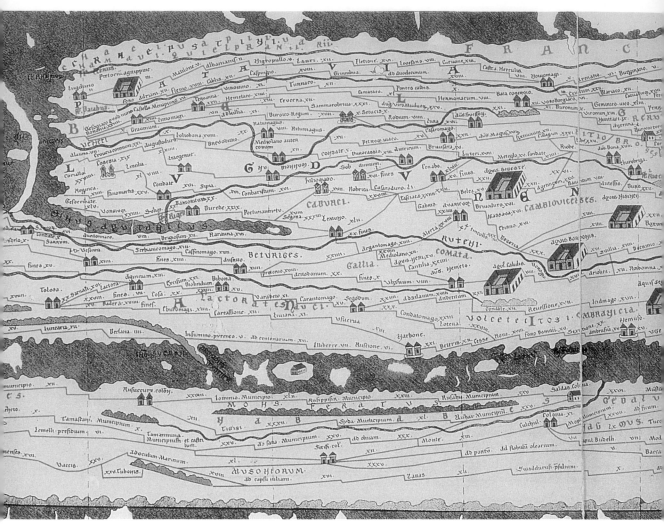

Table de Peutinger

Polybe de Megalopolis « *quand les Romains dressèrent la carte de leur empire, ils conservèrent leur mille, mais admirent que le stade alexandrin en serait compté la huitième partie* ».

L'idée attribuée à un nommé Castorius d'en faire un guide routier « à emporter » se situerait au IIIe siècle apr. J.-C. Le réseau de voies aurait été reproduit sur un rouleau de parchemin de 6,80 mètres de long et de 0,34 mètre de haut. Cet ancêtre original des atlas modernes était peint en vert pour les fleuves et les mers, en rouge pour les routes et en jaune ou marron pour les montagnes, c'est-à-dire, à peu de chose près, aux couleurs qu'adoptent encore les cartographes contemporains. La Table de Peutinger mentionnait, comme les gobelets de Vicarello, les étapes et les distances qui les séparaient. En plus, elle affichait le cours des principaux fleuves, les chaînes de montagnes et le nom des peuples occupant les différentes contrées. Enfin, des vignettes renseignaient utilement le voyageur. Ainsi, deux tours symbolisaient la porte fortifiée d'une ville ceinte de murailles, où l'on était donc en sécurité la nuit. De même un bâtiment rectangulaire à portiques avec une cour centrale annonçait une *spa*, une station thermale.

On ne sait combien de copies sur parchemin furent exécutées à partir

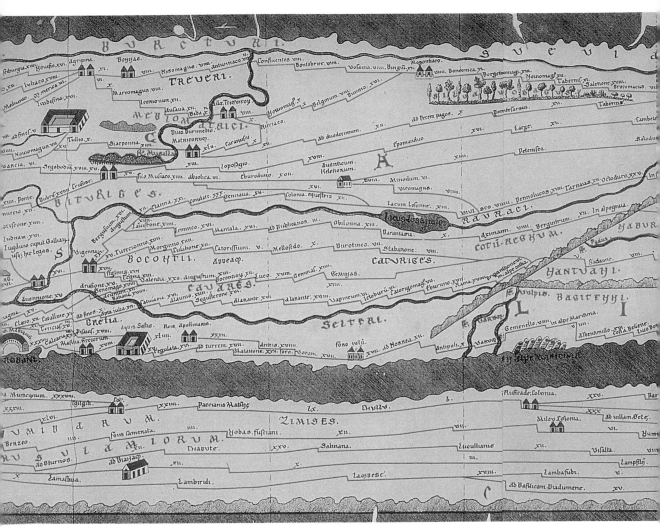

de la matrice du IIIᵉ siècle. La plus ancienne reproduction que l'on ait retrouvée a été confectionnée en 1265. Elle serait l'œuvre d'un moine de Colmar. Une deuxième copie, celle que l'on peut voir à la Hofbibliothek de Vienne, était arrivée entre les mains de l'historien allemand Konrad Celtès. Celui-ci l'avait léguée par testament en 1508 à un autre antiquisant allemand, Konrad Peutinger, qui a laissé son nom au rouleau de parchemin. Ce sont les héritiers de Peutinger qui parvinrent, en 1598, à faire exécuter une première édition en série du document en le confiant à un imprimeur d'Anvers.

Borne milliaire de Tibère découverte à Saint-Thibéry.
© Musée du Biterrois, Béziers

41

Le format démesurément allongé de la Table implique une certaine confusion dans le tracé des itinéraires. En regardant de près, on parvient cependant à bien repérer l'articulation des segments de la voie Domitienne qui sont en concordance avec l'*itineraria adnotata*, l'énumération donnée par les gobelets de Vicarello.

Toutefois, par suite de la disparition de la première des douze feuilles de parchemin, la description de l'itinéraire menant de Cadix à Rome ne commence en Espagne qu'à *Aquae Vocontis*/Caldas de Malavella.

L'itinéraire d'Antonin

Les historiens disposent d'un second *itineraria adnotata* qu'ils appellent l'« itinéraire d'Antonin ». L'original, disparu, est daté du règne de Dioclétien (284-305 apr. J.-C.). Il aurait été rédigé dans le but de faciliter la collecte et le convoyage de l'annone, un impôt payé en sacs de céréales.

Cette liste est bien moins fiable que celle des gobelets de Vicarello puisque nous ne possédons que des copies des trois reproductions primitives du manuscrit de base.

D'autres indications sur la voie Domitienne figurent dans l'itinéraire de Bordeaux à Jérusalem, un carnet de route rédigé par un pèlerin parti de chez lui en 333 et revenu en 337.

Le livre des Merveilles

En 1210, un clerc anglais, Gervais de Tilbury, publie des commentaires de voyage, les *otia imperialia*, qui sont dédiés à l'empereur germanique Othon IV de Brunswick. Il évoque la route qui a probablement succédé à la voie Domitienne : *« Il y a dans le royaume d'Arles, en la province d'Embrun, un lieu d'où l'on descend vers l'Italie par les hauteurs des Alpes, en suivant un chemin facile en été et rapide, mais fort dangereux. Les habitants lui ont donné le nom de val de Lentuscule. »*

Ce texte médiéval donne à entendre que l'itinéraire Briançon-Mont-Genèvre-Suse n'était emprunté qu'à la belle saison. Le reste du temps, les voyageurs utilisaient le chemin du littoral cité par Strabon et peint sur la carte de Peutinger. Quant au val de Lentuscule, il ne serait autre que la vallée de la Doire Ripaire.

Les bornes milliaires

Avec les gobelets de Vicarello et la Table de Peutinger, on positionne dans un premier temps les étapes antiques de la *Via Domitia*. Ensuite, il est possible d'aller plus avant dans l'identification du tracé en partant à la découverte des bornes milliaires.

Là encore, Clio, la muse des historiens, s'est montrée généreuse envers les chercheurs en protégeant de nombreuses bornes qui jalonnaient la voie antique. Avec plus de quatre-vingt-dix colonnes conservées dans les musées ou encore en place des Pyrénées aux Alpes, la voie Domitienne est reconnue pour être la voie romaine la plus riche de tout l'Empire. Ces bornes étaient appelées milliaires car elles étaient implantées tous les mille pas, ce qui correspond à 1 481,50 mètres.

Le pas, unité de base de la métrologie romaine, équivalait en réalité à l'espace représenté par une double enjambée, soit 1,48 mètre. Si l'on avait compté en simple pas, on aurait risqué des variations car la distance parcourue est différente selon que l'on part du pied gauche ou du pied droit.

Au long de la *Via Domitia*, ces bornes se présentent en général sous la forme d'une colonne monolithe dont la hauteur et le diamètre ont souvent changé en fonction des époques.

Les chiffres gravés sur les milliaires donnaient des indications de distance tandis que les lettres rappelaient le nom de l'empereur qui avait financé les travaux.

En général, le mode de comptage prenait pour base une des étapes les plus importantes, soit Nîmes, soit Narbonne.

Les réfections successives sont révélées par la forme des bornes et le contenu des inscriptions. Ainsi, on dénombre l'ouverture de chantiers de réparation sous les règnes :

— D'Auguste, une première fois en 2 et 1 av. J.-C. et une seconde fois en 13 et 14 apr. J.-C.

— De Tibère en 31-32 apr. J.-C. (milliaires prismatiques).

— De Claude en 41 apr. J.-C. (cartouche carré).

— D'Antonin le Pieux, natif de Nîmes, en 145 apr. J.-C. (base carrée).

— De Galère en 301-305 apr. J.-C.

— De Constantin en 313-324 apr. J.-C.

— De Julien en 361-363 apr. J.-C.

Les Romains avaient le respect des anciens. Ils laissaient sur place les milliaires déjà implantés lorsqu'un nouveau chantier s'ouvrait sur la *Via Domitia*. Ainsi, au point XIII entre Nîmes et Beaucaire, au lieu-dit Clos d'Argence, on trouve côte à côte un milliaire d'Auguste (3 à 1 av. J.-C.), un milliaire de Tibère (31-32 apr. J.-C.) et un milliaire d'Antonin le Pieux (141 apr. J.-C.).

La tradition veut qu'on les appelle les Colonnes de César. Il ne s'agit pas d'un hommage au vainqueur de la guerre des Gaules. Tout simplement le nom de *Caesar* figure sur les bornes, car tous les successeurs d'Auguste ont ajouté ce titre à leur surnom et prénom. Pour cette même raison, beaucoup de voies romaines sont connues sous l'appellation de chemin de César. A ce sujet, on cite en référence les célèbres vers de Sidoine Apollinaire (Carmina 24).

Antiquus tibi nec teratur ager
Cujus per spatium, satis vetustis
Nomen Caesareum viret columnis.

Tu foules le chemin antique
Où, de place en place,
Le nom des César verdit sur les colonnes vénérables.

Ayant été utilisée jusqu'au Moyen Age, et souvent même bien plus tard, la voie Domitienne a été préservée sur une grande partie de son trajet. Il est donc relativement facile d'identifier son tracé, d'autant plus que les vues aériennes permettent maintenant d'avoir un regard d'ensemble.

La photo interprétation vient donc compléter efficacement les enquêtes sur le terrain et les recherches en salle sur les compoix des XVIe et XVIIe siècles, les dénombrements de 1687 et les cadastres napoléoniens.

Aujourd'hui, il est possible d'affirmer raisonnablement que la Via Domitia représente la voie romaine la mieux conservée sur toute l'étendue de l'Empire. A l'exception de la traversée des Pyrénées, des Préalpes et des Alpes où la route

antique emprunte des fonds de vallée, le chemin bimillénaire s'inscrit fréquemment sur la bordure des reliefs collinaires. Il s'appuie ainsi sur un sol compact qui ne s'enfonce pas sous les passages répétés des roues et des sabots. La voie Domitienne reste également éloignée des rivages pour des questions de sécurité, le littoral étant alors bien plus désert.

En général, les tracés en plaine entre deux étapes demeurent rectilignes. Les décrochements sont souvent sensibles au franchissement de fleuves et de rivières. Les changements d'orientation de l'ordre de 45° sont relativement rares : Salses en Roussillon, Pontserme entre Narbonne et Béziers et centre historique de Nîmes.

Le Pont du Gard.
© Jacques Debru

Les hodonymes
(la toponymie routière)

Les hodonymes, du grec *hodos* qui signifie « itinéraire », sont des noms de lieux relatifs aux chemins. Il ne faudrait pas, toutefois, chercher à reconstituer un ancien tracé en se basant uniquement sur ces indices. Les hodonymes ne doivent être pris en compte que pour conforter une hypothèse. La recherche d'une voie antique ou médiévale passe en priorité par la reconnaissance sur le terrain et par l'étude des compoix, des cadastres et des photos aériennes.

Ces réserves faites, la connaissance des toponymes routiers permet à la fois de choisir entre plusieurs itinéraires parallèles et d'évoquer l'héritage d'un lointain passé. Très peu de noms de lieux remontent au temps des Gallo-Romains. Les plus fiables renvoient aux distances ins-

crites sur les bornes. Ainsi, on aura Quart pour le quatrième milliaire, Quint pour le cinquième, Sixte pour le sixième, Septime pour le septième...

La grande majorité des hodonymes se sont formés au Moyen Age. L'estrade est le terme que l'on rencontre le plus fréquemment avec les variantes estrade, estra ou estrée. Il dérive du latin *via strata*, c'est-à-dire la voie sur laquelle on a étalé un revêtement. La *via calciata*, la voie foulée aux pieds (*calx* désignant à la fois le talon et le pied) s'est transformée en chaussée et en caussade. Les cols et les défilés ont été retransmis sous les noms de pas et de pertus. Comme il y avait souvent des difficultés à les franchir, on connaît davantage de malpas et de malpertus.

La pratique médiévale de pendre les condamnés au bord des chemins pour impressionner les passants nous a valu les justices, les potences et les fourches. Les établissements religieux médiévaux où l'on hébergeait malades et pèlerins nous ont laissé les Madeleine, les Malautières, les Mas Dieu, les Bons Enfants... Les premiers hôpitaux ont été fondés par l'ordre de Saint-Jean de Jérusalem... Marchands, muletiers et voyageurs du Moyen Age descendaient en fonction de leur standing dans les tavernes (nos une étoile), les logis (nos deux étoiles), les auberges (nos trois étoiles) et les hostelleries (nos quatre étoiles). Tout au long des chemins fleurissaient leurs enseignes peintes. Elles sont passées dans la toponymie comme par exemple la Croix d'Argent, le Chapeau Rouge et le Cheval Blanc. Souvent les animaux représentés étaient réunis trois par trois : les Trois Pigeons, les Trois Perdrix, les Trois Faucons...

Marchand de fruits et légumes, relief d'une stèle funéraire. Première moitié du IIIe siècle. Musée Ostiense.
© akg-images/Erich Lessing

1. De Caldas de Malavella à Panissars

Caldas de Malavella

L'antique station thermale d'*Aquae Vocontis*, aujourd'hui Caldas de Mala-vella, voyait se rejoindre les deux gran-des voies romaines qui traversent la Catalogne après avoir divergé à Mar-torell. La première, celle à qui on donne le nom de *Via Augusta*, arrive de Barcelone par Badalona, Mataro et Blanes. La seconde, que les historiens catalans appellent « *cami de los vasos apollinares* », serait l'héritière de la *Via Heraklea*. Elle provient d'*Ad Fines/*

Martorell, *Semproniana/*Granollers et *Seterras/* Hostaric.

Les deux tracés confondus à partir de Caldas de Malavella ont été bapti-sés fort justement *Via Augusta*, si l'on en juge par l'inscription relevée sur un milliaire de Gérone. La pérenni-sation de l'itinéraire a laissé au nord-ouest de Caldas un lieu dit Franciac dont l'origine remonterait à une halte médiévale sur la *Strata Francisca*. Un peu plus loin, la voie romaine traverse

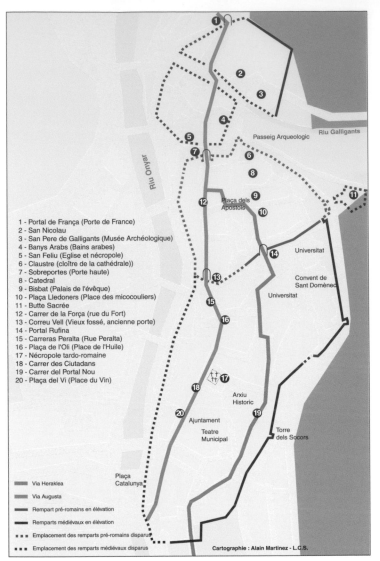

1 - Portal de França (Porte de France)
2 - San Nicolau
3 - San Pere de Galligants (Musée Archéologique)
4 - Banys Arabs (Bains arabes)
5 - San Feliu (Eglise et nécropole)
6 - Claustre (cloître de la cathédrale))
7 - Sobreportes (Porte haute)
8 - Catedral
9 - Bisbat (Palais de l'évêque)
10 - Plaça Lledoners (Place des micocouliers)
11 - Butte Sacrée
12 - Carrer de la Força (rue du Fort)
13 - Correu Vell (Vieux fossé, ancienne porte)
14 - Portal Rufina
15 - Carreras Peralta (Rue Peralta)
16 - Plaça de l'Oli (Place de l'Huile)
17 - Nécropole tardo-romaine
18 - Carrer des Ciutadans
19 - Carrer del Portal Nou
20 - Plaça del Vi (Place du Vin)

Via Heraklea
Via Augusta
Rempart pré-romains en élévation
Remparts médiévaux en élévation
Emplacement des remparts pré-romains disparus
Emplacement des remparts médiévaux disparus

Cartographie : Alain Martinez - L.C.S.

Détail de la tour de flanquement du XIIe siècle avec son décor polychrome.
© Pierre-Albert Clément

L'entrée nord de l'oppidum de Gérone par la sobreportes (porte soubeirane).
© Pierre-Albert Clément

la localité de Palau Sacosta où l'on a retrouvé les deux milliaires exposés aujourd'hui à San Pere de Galligants. La *Via Augusta* entre ensuite dans Gérone dont elle a fixé l'axe nord-sud depuis plus de deux mille ans.

Gérone/*Gerunda*

L'antique *Gerunda* peut se vanter d'être l'une des plus vieilles villes d'Europe dont le centre soit toujours resté au même emplacement. Bien avant l'arrivée des Romains (218 av. J.-C.), un oppidum était juché sur le promontoire aux fortes pentes qui dominait le confluent du riu Onyar et du riu Galligants. La plate-forme sommitale, occupée aujourd'hui par les pans des murailles que les sapeurs de Napoléon Ier ont démantelés à la poudre, représente le site caractéristique des cultes de hauteur. Cette hypothèse est confortée par l'allée de micocouliers, l'arbre des temples sacrés, qui permet d'y accéder.

L'ancienneté de l'oppidum est attestée par la courtine méridionale de l'enceinte primitive. Ses assises inférieures offrent encore un appareil cyclopéen que l'on peut attribuer soit aux Ibères, soit aux Grecs d'Ampurias.

Le même type de blocs volumineux est repérable aux piédroits de la porte Ruffino (place Saint-Dominique) et de la porte appelée Sobreportes par lesquelles on rentrait et sortait de la ville préromaine. On peut en déduire que ces deux ouvertures dans la muraille donnaient passage à la voie Hérakléenne. Celle-ci arrivait du côté sud selon l'itinéraire repris par la rue actuelle dite du Portal Nou. Avec la construction de la *Via Augusta*, l'entrée sud se fit plus bas par le portail del Correu Vell (le vieux fossé).

La voie romaine arrivant de Palau Sacosta paraît avoir été pérennisée par la carrer dels Ciutadans qui longe le cimetière paléochrétien exhumé sous l'ancien hôtel des Italiens et la carrer Peralta balisée par une nécropole du Haut-Empire.

La réutilisation des milliaires

Le Museu d'Arqueologia de Catalunya, qui s'est installé à l'intérieur de l'abbatiale et du cloître de San Pere de Galligants, présente trois milliaires d'un intérêt majeur. Deux d'entre eux proviennent de Palau Sacosta.
Le plus ancien, daté du règne de Tibère (14-37 apr. J.-C.), est taillé dans un bloc de calcaire coquillier. On peut y lire le chiffre de XLVIII qui correspond à la distance par rapport au Summum Pyrenaeum. Alors que dans la Narbonnaise on dressait une nouvelle borne pour célébrer l'empereur qui finançait les réparations de la voie, en Hispanie on se contentait d'ajouter son nom et ses titres sur la même pierre. Cette coutume locale explique qu'au-dessous de l'inscription de Tibère figure une inscription en l'honneur de Constantin Ier et de Licinius, fils de Licinius, qui ont corégné entre 317 et 324.
De même, le second milliaire de Palau Sacosta est dédié à la fois à Constantin (306-337) et à Théodose (379-395).
La troisième borne, celle qui a été retrouvée à Sarria de Ter, à 4 kilomètres au nord de Gérone, témoigne des travaux effectués par Julius Verus Maximin (235-238). Elle porte une dédicace significative : « Vias et pontes tempore vetustatis conlapsos restituerunt. » (Par lui ont été refaits les voies et les ponts disparus à cause de leur vétusté.)
On retrouve là le soin qu'ont toujours eu les gouvernants de maintenir la viabilité du réseau de communication.

Le segment rectiligne de la *Via Augusta* compris entre le Correu Vell et la Sobreportes, c'est-à-dire la partie du trajet à l'intérieur des murailles primitives, a reçu au Moyen Age le nom de carrer de la Força. Ce nom correspond aux centaines de lieux-dits « le Fort de la Septimanie », où ils désignent là aussi non pas un château fort mais une enceinte protégée par un rempart continu.

Après que Charlemagne eut chassé les musulmans en 785, Gérone retrouva son rôle de chef-lieu d'un très riche diocèse. Elle devint la ville la mieux nantie en édifices romans sur la totalité de l'itinéraire antique allant de Cadix jusqu'à Brindisi.

La **cathédrale**, dédiée à sainte Marie, est surtout célèbre par son escalier monumental de quatre-vingt-dix marches qui permet d'y accéder depuis la carrer de la Força. Sa construction ne remonte qu'au XVIIIe siècle, époque à laquelle Notre-Dame de Gérone a connu la dernière campagne de travaux qui n'ont laissé subsister que le cloître et la tour de Charlemagne datables du XIIe siècle.

L'abside de la cathédrale serait bâtie à l'emplacement d'un temple païen préroman. Là aussi, le micocoulier était présent car la place jouxtant le palais épiscopal reste encore appelée plaça dels Lledoners, *lledoner* ou *lladoner* étant le nom catalan de cet arbre aux vertus magiques.

Le cloître trapézoïdal de Notre-Dame reste intégralement conservé. La galerie méridionale offre une remarquable série de chapiteaux inspirés de la Genèse et du Nouveau Testament. Des frises très originales décorent les piliers. On y voit en particulier des tailleurs de pierre au travail et des bergers conduisant leurs moutons à l'abreuvoir.

Gérone, cloître de la cathédrale Notre-Dame.
© Pierre-Albert Clément

En haut
San Pere de Galligants, cloître.
© Pierre-Albert Clément

A droite
San Pere de Galligants, chevet.
© Pierre-Albert Clément

Gérone, murailles Sud.
© Pierre-Albert Clément

Sur la rive droite du ruisseau qui lui a donné son nom, l'abbaye hors les murs de **San Pere de Galligants** s'affirme comme un des plus brillants fleurons de l'art roman catalan. Son chevet, construit en plusieurs campagnes, offre deux absidioles juxtaposées sur le croisillon sud et deux absidioles perpendiculaires l'une à l'autre à l'extrémité du croisillon nord.

Etrangement, le liseré noir de basalte qui surligne la baie axiale de l'absidiole nord-est annonce le fameux cordon de Charlemagne d'une centaine d'églises des diocèses d'Elne, Narbonne et Béziers.

Le clocher qui s'élève sur le bras sud de la travée comporte un étage inférieur de plan carré et deux étages supérieurs octogonaux ajourés par des baies géminées.

Le cloître rectangulaire est le digne pendant de celui de la cathédrale avec des chapiteaux où sont abordés aussi bien les thèmes religieux que les thèmes profanes du XIIe siècle.

Tout près de là, la place Santa Llucia est également bordée par une chapelle à coupole et à plan tréflé dédiée à Sant Nicolau. Son architecture et son couronnement d'arcatures aveugles témoignent de l'étroite parenté entre l'art roman en deçà et par-delà les Pyrénées.

Au sortir de Gérone, la *Via Augusta* franchissait le riu Ter à hauteur de Sarria de Ter. Après avoir longé la colline de San Julia de Ramis où s'élève encore une tour romaine, elle passait à Medinya (la « ville » en arabe) d'où proviendrait le milliaire cylindrique en grès qui sert actuellement de support à la statue de Sant Sadurni dans l'église paroissiale.

Il y a une vingtaine d'années, les archéologues faisaient passer la *Via Augusta* par Cervià de Ter, Roset et Viladasens. En 1987, une crue brutale

du Fluvia a remis au jour la pile centrale du pont antique de Bàscara. Ce vestige, inconnu jusqu'alors, confirme que la voie romaine suivait un trajet très proche de celui de la *carretera nacional* A 2. D'ailleurs, le toponyme « Pas de la Barca » que porte encore cet endroit-là signifie qu'au Moyen Age, le fleuve y a été traversé en bateau après la destruction du pont.

Compte tenu de cette observation, on peut estimer que la station routière de *Cinniana* doit être localisée au voisinage du franchissement du Riera de Cyniana par l'A 2. Bàscara, à 5 kilomètres au nord de **Cinniana**, fut un nœud routier très fréquenté. C'est là que la *Via Augusta* croisait le chemin préroman qui reliait Ampurias au col d'Ares. Cette voie remontait la rive droite du Fluvia en passant par Ventallo.

Après Bàscara, on repère cette transversale à Besalu, à Camprodon et à Capsacoste dont le nom rappelle les Cap de Coste cévenols.

La distance de XV milles donnée par les itinéraires pour aller de *Cinniana* à *Iuncaria* incite à localiser cette autre étape dans les environs immédiats du village de L'Aigüeta qui se trouve à cheval sur trois communes, Figueras, Cabanes et Vilabertran. De toute façon, *Iuncaria* n'a rien à voir avec la ville frontière de La Jonquera.

Après L'Aigüeta, la *Via Augusta* remontait la vallée du Llobregat Menor jusqu'au village au nom caractéristique de L'Estrada qui paraît correspondre à la station de *Deciana* que la Table de Peutinger situe à IV milles au sud du *Summum Pyrenaeum*.

Une fois atteinte La Jonquera, la *Via Augusta* décroche vers la gauche en direction du lieu-dit appelé significativement Pont d'Espagne, avant de venir passer la frontière franco-espagnole au col de Panissars. Depuis *Deciana* un diverticule s'orientait à droite vers le col de Banyuls. Cet itinéraire, que nous appellerions de délestage, aurait été utilisé par une partie des troupes d'Hannibal en 218 av. J.-C.

Aujourd'hui, côté espagnol et côté français, les routes nationales et l'autoroute empruntent un tracé plus récent, celui du col du Perthus, 1 500 mètres à l'est du col de Panissars. Il faut souligner que les voies antiques de Catalogne ont très souvent servi d'assise au réseau routier moderne. Ces chantiers ont fait disparaître au cours des siècles derniers la plupart des vestiges de la *Via Augusta* et en particulier de nombreuses bornes milliaires.

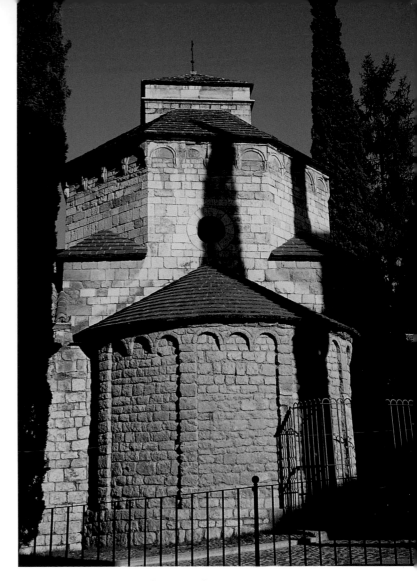

Gérone, chapelle Sant Nicolau.
© Pierre-Albert Clément

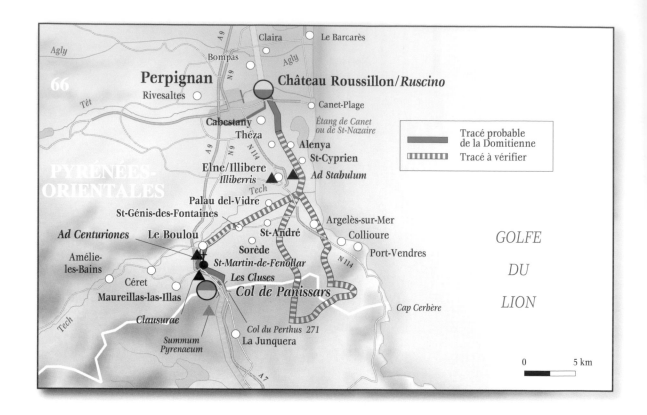

2. De Panissars à Château-Roussillon

Panissars

Jusqu'aux fouilles entreprises par Georges Castellvi en 1984, la totalité des manuels d'histoire localisait à tort au col du Perthus (altitude : 271 mètres) le **Summum Pyrenaeum** des Itinéraires.

Les premiers chantiers ouverts au col de Panissars (altitude : 330 mètres) ont dégagé successivement une magnifique voie à ornières taillée dans le rocher, des fragments d'un milliaire de Constantin en réemploi dans l'église romane de 1101 et les bases d'un imposant édifice en grand appareil qui a été rapidement identifié comme le trophée de Pompée.

Il s'agit d'une tour-porte, enjambant la voie à même la ligne de crête qui a séparé immémorialement la Gaule de l'Ibérie. On en a exhumé les deux soubassements latéraux de 29,20 mètres de longueur et de 14,40 mètres de largeur qui rappellent par leurs dimensions le trophée érigé à La Turbie en l'honneur d'Auguste. Le monument de Panissars, construit en 71 av. J.-C., commémorait les victoires de Pompée sur le général Sertorius, un ancien lieutenant de Marius, qui avait soulevé contre Rome la grande majorité des peuples d'Hispanie. Le trophée de

Pompée était connu grâce aux écrits des historiens et géographes Salluste, Strabon, Pline et Dion Cassius, mais avant les travaux de G. Castellvi personne n'avait pu dire où il se trouvait.

La *Via Domitia* qui succède à la *Via Augusta* descend la vallée encaissée de la Freixe, un affluent de la rivière Rome. Elle passe sous un *portorium*, un poste de péage, que l'on date de la seconde moitié du IVᵉ siècle apr. J.-C. Compte tenu de la vulnérabilité du site, les Romains avaient élevé deux ouvrages imposants à la même époque : le **Castells dels Moros** à l'ouest et le **Fort de la Cluse Haute** à l'est. Utilisées jusqu'au

Moyen Age, ces deux forteresses, qui n'ont guère subi les outrages du temps, demeurent des témoins précieux de l'architecture militaire au Bas-Empire.

Arrivée au pied des Albères, la Domitienne passe auprès de l'église de **Saint-Martin-de-Fenollar** au nord de laquelle on situe la station *Ad Centenarium* de la Table de Peutinger. Ce nom s'expliquerait par la présence d'une garnison de centurions qui auraient surveillé le passage de la frontière. Tout près de là, la voie romaine longe les bains du Boulou qui auraient succédé à la station thermale d'*Aquae Calidae* mentionnée par l'anonyme de

Col de Panissars avec au premier plan la base du mur en grand appareil du trophée de Pompée et au second plan la voûte de l'église Saint-Martin.
© Henry Ayglon

A droite :
Portorium, ancien poste de péage du IVᵉ siècle apr. J.-C.
© Henry Ayglon

Saint-Martin-de-Fenollar/ Ad Centenarium

La station d'*Ad Centenarium* paraît avoir été un camp militaire plutôt qu'une ville étape. Les fouilles menées jusqu'à aujourd'hui sur son emplacement présumé n'ont toujours pas permis de mettre au jour les vestiges de véritables structures urbaines. Les cher-

Voûte de l'église. © Henry Aiglon

Les Vieillards de l'Apocalypse, détail de la fresque. © Jacques Debru

cheurs s'accordent pour voir dans l'église préromane de Saint-Martin-de-Fenollar la continuité de l'occupation du site. Sur le plan architectural, cet édifice s'apparente à toutes les constructions modestes que l'on retrouve de part et d'autre des Pyrénées catalanes, avec son chevet à plan trapézoïdal et sa nef bien plus haute et bien plus large. A l'intérieur, les arcs-doubleaux outrepassés révèlent une possible influence wisigothique. La position de Saint-Martin au bord de la Domitienne devenue route de pèlerinage au Moyen Age peut expliquer la richesse du décor mural du chevet. Nous sommes là en présence du plus bel ensemble de fresques de toute la France méditerranéenne.

Parmi les huit panneaux polychromes du sanctuaire, il faut s'attarder sur le Christ en majesté accompagné des quatre évangélistes portés par des anges et sur la représentation des vingt-quatre vieillards de l'Apocalypse tenant une cithare dans la main gauche et levant une coupe de parfums de la main droite.

Agora de la ville grecque d'Ampurias qui a donné son nom à l'Ampordan.
© Henry Ayglon

Ravenne. Elle est pérennisée ensuite jusqu'à Saint-Génis-des-Fontaines par l'actuelle départementale D 618.

Sur ce tronçon elle se confondait avec le chemin préromain de lisière qui reliait Port-Vendres au col d'Ares en passant par Collioure et Saint-André-de-Sorède puis par Céret et les Bains d'Arles (Amélie-les-Bains).

Inscrit dans une anse bien protégée, **Port-Vendres** a porté successivement le nom ibère de Pyrène et le nom latin de *Portus Veneris*, le port de Vénus. En face de son emplacement, la Table de Peutinger est illustrée d'un îlot où est édifié un temple. Il s'agit probablement de l'Aphrodision, le temple d'Aphrodite – la Vénus des Grecs – dont parle Strabon. Ce sanctuaire confirme la présence des Phocéens sur cette tête de pont des caravanes muletières assurant le trafic avec les zones pyrénéennes.

A Saint-Génis-des-Fontaines, la *Via Domitia* s'infléchit vers le nord. Elle existe encore en tant que chemin vicinal non goudronné menant au hameau de Villeclare. A partir de là, elle est difficile à retrouver. La localisation du pont sur lequel on franchissait le Tech est donnée par le sommet de la patte d'oie que la Domitienne formait avec le chemin antique venant de Taxo d'Amont, de Cavall et du col de Carbassière et avec la voie littorale de délestage qui empruntait le col de Banyuls.

Les trois itinéraires n'en font plus qu'un après le passage du Tech. Là aussi, il n'est pas possible de repérer le tracé, car la chaussée antique a été recouverte par les alluvions de la rivière qui a souvent changé de lit.

La station d'**Ad Stabulum/Les Ecuries** donnée par l'itinéraire d'Antonin serait pérennisée par le hameau de Palau d'Avall, à mi-chemin entre Saint-Cyprien et Elne, l'*Illiberis* de la Table de Peutinger, donnée comme distante de XII milles d'*Ad Centenarium*.

La Domitienne se retrouve une première fois sous le nom de chemin de Charlemagne, à l'ouest d'Alénya, pendant un kilomètre son assise est reprise par la D 22. Elle continue ensuite en faisant les limites de Saleilles et de Saint-Nazaire. A partir du mas Alart, elle reprend le nom de chemin de Charlemagne et elle se distingue nettement sur les photos aériennes. Sur ses bords, le mas de la *Madeleine*

évoque la présence d'un établissement hospitalier au Moyen Age.

La *Via Domitia* franchissait la Têt à un endroit difficile à cerner car les atterrissements de la rivière dissimulent les culées du pont romain. On admet cependant que le passage se faisait au pied de l'oppidum de *Ruscino* qui est perché à l'extrémité d'un plateau surplombant la rive droite de la rivière.

Château-Roussillon/*Ruscino*

Ce site est très ancien. Il est mentionné par Pomponius Mela (Ier siècle apr. J.-C.) dans sa *Chorographie* (2,5,84). Avant de devenir une colonie latine, il était la capitale de l'ethnie celtibère des Sordones. Promu ville étape de la Domitienne, comme l'attestent tous les itinéraires, il a connu son apogée au Ier siècle apr. J.-C. C'est lui qui a donné son nom au pays du Roussillon, nom que la contrée a conservé lorsque Perpignan en est devenu la ville principale aux XIe et XIIe siècles.

Dans son *Histoire naturelle*, Pline décrit ainsi la côte ouest du golfe du Lion : « *in ora, regio Sordonum, intrusque Consuaranorum, flumina Tetum et Vernodubrum, oppida Illiberis, magne quondam urbis tenue vestigium, Ruscino Latinorum…* » (sur le territoire des Sordones et plus à l'intérieur celui des Consuarani, les fleuves Têt et Vernou [principal affluent de l'Agly] l'oppidum d'*Illiberis*, pâle vestige d'une ville jadis florissante et l'oppidum de *Ruscino* [chef-lieu d'une colonie] de droit latin).

Au Ier siècle apr. J.-C., *Ruscino* paraît donc avoir été en expansion et Elne en récession. Les destinées s'inversèrent au VIe siècle. Bien que *Ruscino* ait été la capitale d'une *civitas* de la Narbonnaise, ce fut Elne qui reçut une nouvelle impulsion en devenant le siège de l'évêché. Néanmoins, les premiers comtes de Roussillon choisirent de résider à *Castro Rossilio* pour aller ensuite, aux environs de l'an mille, s'installer tout près de là, à Perpignan. Il y eut certainement alors capture de

la Domitienne par les seigneurs et les marchands de la ville nouvelle. Dès lors, le trafic fut détourné entre Salses et Elne par un itinéraire récupéré aujourd'hui par la N 9 et la N 114.

Le pont romain de *Ruscino* fut abandonné aux caprices de la Têt et la circulation s'effectua par le pont médiéval construit au droit des murailles de Perpignan.

Des fouilles archéologiques commencées à *Ruscino* au début du XXe siècle et reprises sur une grande échelle à partir de 1975 ont permis la mise au jour des substructions du forum et de sa basilique. Plusieurs rues parfaitement repérées donnent une première idée de la trame urbaine.

Un musée de site, dont le bâtiment a été terminé en 1995, doit abriter les découvertes les plus significatives.

Du *castrum* médiéval qui s'inscrit à la pointe nord de l'éminence où s'était établi l'oppidum, il ne subsiste plus qu'une église datée du XIe siècle et dédiée à Notre-Dame et à saint Pierre et une tour ronde d'une vingtaine de mètres de haut. Comme à Saint-Julien-de-Salinelles (Gard) et à Notre-Dame-de-Londres (Hérault), l'édifice roman se présente sous la forme de deux nefs accolées l'une à l'autre. Leurs plans, leurs dimensions et leurs absides font conclure à deux campagnes de constructions séparées dans le temps. Quant à la tour, d'époque indéterminée, elle peut avoir été élevée soit pour émettre des signaux optiques, soit pour servir de poste de guet, soit tout simplement pour symboliser la préséance des comtes de Roussillon.

Forum de *Ruscino*.
© Henry Ayglon

Elne, le cloître.
© Henry Ayglon

Elne/Illiberis

Appelée à l'origine Illiberis, la ville nouvelle pour les Ibères, elle est devenue au
IVᵉ siècle Castrum Helenae, en hommage à
Hélène, la mère de l'empereur Constantin.
Bien qu'elle soit éloignée d'environ
2 kilomètres du tracé probable de la Via
Domitia, Elne figure dans la Table de Peutinger comme étape sous le nom de Illiberis, mais sans vignette distinctive.
L'agglomération protohistorique et le
vicus romain sont enfouis sous les
constructions des époques médiévales et
modernes. Les seuls vestiges de l'Antiquité sont représentés par les nécropoles
qui bordent, au quartier du Planiol, la
bretelle qui reliait Illiberis à la station
d'Ad Stabulum mentionnée par l'itinéraire d'Antonin. Les Wisigoths firent
d'Elne un chef-lieu de diocèse en 571.
Les évêques y demeurèrent jusqu'en

1602, année de leur délocalisation à Perpignan. Cette riche histoire explique la
présence d'un des plus beaux ensembles
épiscopaux qu'aient laissés les XIᵉ, XIIᵉ et
XIIIᵉ siècles.
La cathédrale, placée sous le patronage
de sainte Eulalie et de sainte Julie, offre
un plan basilical avec trois vaisseaux de
sept travées chacun. A l'extérieur, seul le
clocher sud est contemporain de la nef.
Les arcatures aveugles des étages infé-
rieurs en sont galonnées du cordon noir
de basalte, dit de Charlemagne. Toujours
à l'extérieur, les tympans des arcatures
de l'abside offrent une composition originale avec un dessin réticulé polychrome identique aux tympans des
portails de Saint-Julien d'Olargues
(Hérault) et de Saint-Martial d'Assas
(Hérault).
Quand on pénètre dans la cathédrale, on
est agréablement surpris par la série de

Elne, la cathédrale. © Pierre-Albert Clément

chapiteaux qui couronnent les colonnes des piliers des travées orientales.

La galerie la plus intéressante du cloître est la galerie méridionale que l'on date du dernier tiers du XIIᵉ siècle, époque qui marque l'épanouissement de l'art des sculpteurs roussillonnais, avec son riche répertoire végétal et animalier.

Le bas-relief le plus célèbre d'Elne orne un pilier de la galerie sud. Il s'agit du célèbre « quo vadis domine », c'est-à-dire la question que pose saint Pierre, évadé de Rome, lorsqu'il rencontre le Christ sur la Via Appia. Cette scène a pour toile de fond les murailles d'une ville catalane du XIIᵉ siècle, avec toutefois une erreur manifeste. Au lieu de sculpter une porte d'enceinte, le sculpteur s'est inspiré d'une porte de maison patricienne avec ses deux heurtoirs et ses pentures à volutes.

Cloître d'Elne : bas-relief du « Quo vadis domine ? » : le Christ pose sa main gauche dans celle de saint Pierre et le bénit de sa main droite.
© Pierre-Albert Clément

Cloître d'Elne : bas-relief avec tour, guetteurs et fantassins.
© Pierre-Albert Clément

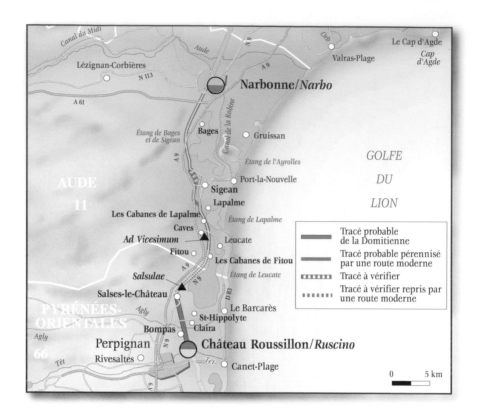

Tracé probable
de la Domitienne

Tracé probable pérennisé
par une route moderne

Tracé à vérifier

Tracé à vérifier repris par
une route moderne

0   5 km

3. De Château-Roussillon à Narbonne

Après avoir franchi la Têt, la *Via Domitia* conservait une orientation sud-nord. De petits tronçons en sont repérables dans la plaine de la Salanque au lieu-dit Bougariou-Alt, un kilomètre à l'est de Bompas. On a retrouvé, en 1990, les piles et les culées du petit pont grâce auquel elle enjambait un fossé de drainage. Par contre, on n'a jamais encore découvert les vestiges de l'ouvrage d'art qui permettait de passer l'Agly. Il est vrai que ce fleuve est aussi fantasque que la Têt et le Ter dans ses crues et dans ses divagations.

Ensuite, la Domitienne est pérennisée par un chemin vicinal rectiligne sur une longueur de 7 kilomètres. Après avoir longé Salses, elle disparaît sous le ballast du chemin de fer au moment où elle pivote de 45° vers l'est. A partir de la source de Fontdame où l'on localise le site de *Salsulis* mentionné dans l'itinéraire d'Antonin, la *Via Domitia* a servi d'assise à la N 9. On arrive ainsi au défilé du Malpas où dans une bande de 500 mètres de large entre le massif des Corbières et l'étang de Leucate doivent cohabiter la route, l'autoroute, le chemin de fer et bientôt la ligne TGV.

Ce goulot d'étranglement où le trafic est très facile à contrôler a servi, depuis au moins deux millénaires, à fixer la frontière : probablement entre les Sordones et les Elysiques, puis entre les *civitates* de *Ruscino* et de *Narbo*, ensuite entre les diocèses d'Elne et de Narbonne, plus tard entre l'Espagne et la France et de nos jours entre les départements des Pyrénées-Orientales et de l'Aude.

La voie romaine ne s'extirpe de ces entrelacs qu'au niveau des Cabanes-de-Fitou, mais 2 kilomètres après elle est phagocytée à nouveau jusqu'à hauteur de Roquefort-des-Corbières par l'emprise de la N 9. C'est sur ce tracé commun à la Domitienne et à la N 9, à mi-chemin entre les Cabanes-de-Fitou et Caves, que l'on a découvert en 1949 un milliaire dédié à Domitius Ahenobarbus, *imperator*. Il était réemployé dans un pont en ruine qui franchissait le rieu de la Treille, au pied de l'oppidum préromain de Pech-Maho. L'indication de distance, XX (milles), permet de localiser, non loin de là, la station d'**Ad Vicesimum** de l'itinéraire d'Antonin. Il s'agit de la plus vieille borne milliaire identifiée dans l'ancienne Gaule.

Entre Roquefort et Narbonne, il est là aussi inutile de chercher des vestiges de la chaussée romaine. La Domitienne a été récupérée par les intendants qui en ont fait le Chemin royal. Celui-ci a été repris par l'autoroute A 9 jusqu'à la sortie Sigean.

Après Villefalse et le franchissement de la Berre, la N 9 prend le relais et utilise le tracé de la *Via Domitia* jusqu'au giratoire de la Croix du Sud.

En traversant le village de Prat-de-Cest, il faut se souvenir que nous sommes à VI milles de **Narbonne**, un milliaire *Ad Sextum* ayant donné Cest.

A Narbonne, la *Via Domitia* a fixé le *cardo*, l'axe nord-sud de la ville fondée par les Romains sur la rive gauche de l'*Atax*/Aude.

A l'entrée sud du *pons vetus*, la Domitienne se trouvait au centre d'une patte d'oie. La branche est, la voie des Etangs, menait jusqu'à l'anse des Galères où venaient accoster les navires de haute mer à qui leur très haut tirant d'eau interdisait de remonter l'Aude. La branche ouest, la voie d'Aquitaine, est bien connue grâce à l'itinéraire de Bordeaux à Jérusalem. Cette route reliait l'estuaire de l'Aude à l'estuaire de la Gironde par Carcassonne, Bram, Toulouse, Auch, Eauze et Bazas.

Narbonne/*Narbo*

Le pont de Narbonne permettait à la Domitienne de franchir la branche sud du delta de l'*Atax*/Aude. A la suite

Plaine du Roussillon, voie domitienne et tramage hérité du cadastre romain.
Photo Alain Peyre

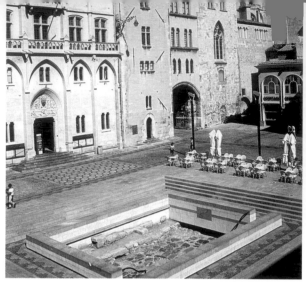

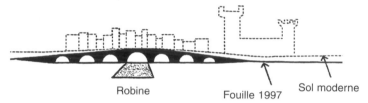

Robine   Fouille 1997   Sol moderne

d'une énorme crue en 1320, le fleuve abandonna ce bras pour couler en totalité dans son lit actuel, à savoir le bras nord sur lequel ont été construits les ponts modernes de Cuxac et de Coursan. Les Narbonnais furent alors contraints d'aménager un canal de dérivation, la Roubine, qui, en reprenant le bras asséché, permit au port antique de recevoir à nouveau des embarcations. Le débit de ce chenal étant bien inférieur à celui de l'Aude à l'époque romaine, les habitants entreprirent de récupérer l'ancien lit en y construisant des maisons de part et d'autre des arches latérales. Seule l'arche centrale resta ouverte pour laisser passer les eaux de la Roubine, tout en servant de support à une dou-

ble rangée de boutiques. Le pont « vielh » devint le « pont des marchands » et se mit à ressembler au célèbre *Ponte Vecchio* de Florence.

Compte tenu des adjonctions médiévales, il faut passer en barque sous l'arcade sauvegardée pour admirer l'appareil typiquement romain de la voûte. Beaucoup de visiteurs empruntent d'ailleurs la rue du Pont dans le prolongement de la rue droite sans se rendre compte qu'ils déambulent sur un des plus beaux ouvrages d'art jalonnant la voie Domitienne.

Au nord du pont, la Domitienne a longtemps porté le nom occitan de *carriera drecha*, la rue droite. En face de la cathédrale médiévale, on a mis au jour en 1997, à 2,50 mètres de profondeur, le revêtement de la chaussée romaine. Une habile présentation permet maintenant d'admirer les grandes dalles en calcaire dur ainsi que les *sulci*/les bordures latérales.

La *Via Domitia* traversait ensuite le centre du *forum* qui par la suite s'est appelé successivement *mercat vieilh* puis place Bistan. A l'entrée nord de Narbonne, de nombreuses tombes jalonnaient chaque côté de la voie, selon la coutume romaine qui voulait que les défunts reposent dans des lieux très passagers. Les exemples les plus fameux de cette tradition sont les files de mausolées qui longent la *Via Appia* au sortir de Rome.

La fondation de Narbonne

Aménagement de la *Via Domitia* et fondation de Narbo (118 av. J.-C.) apparaissent comme intimement liés.

Alors que la *Via Heraklea* tangentait l'oppidum de Montlaurès, il semble que Domitius ait aménagé une route 3 kilomètres plus à l'est en venant lui faire franchir un gué que l'on localise à l'extrémité de l'actuelle rue Gustave-Fabre. L'agglomération primitive se serait donc développée, auprès de ce gué, sur la rive gauche de l'Atax/l'Aude et elle aurait abrité au départ des colons italiens, des marchands, des aubergistes et, bien entendu, un camp militaire. Ces premiers habitants furent progressivement rejoints par les familles indigènes qui vivaient sur la butte de Montlaurès, laquelle fut définitivement abandonnée aux alentours de 50 av. J.-C.

La deuxième phase de développement urbain correspond à l'arrivée, en 45 av. J.-C., des vétérans de la dixième légion à qui César attribua des terres aux abords de la ville pour les récompenser des combats qu'ils avaient livrés sous son commandement.

Pendant le règne d'Auguste, Narbonne devint, aux dires de Strabon, la ville la plus peuplée de la Gaule (IV, 3,2) et cela, précise-t-il, devant Lyon. En plus de son emplacement stratégique de carrefour routier, *Colonia Narbo Martius* disposait à 4 kilomètres seulement d'un bassin où pouvaient accoster les corbitae, les plus grands navires de l'époque. Le port de la Nautique avait été créé vers 40 av. J.-C. pour regrouper les opérations de chargement et de déchargement éparpillées dans les criques préromaines de l'ancien delta de l'Aude, tel Mandirac, le Roc de Berrière et les îles d'Aute, Pujol et Sainte-Lucie. La ville donna même son nom à la *Provincia Narbonensis*, la province Narbonnaise, qui s'étendait de la Garonne au lac Léman et des monts du Velay aux Alpes-Maritimes.

Avec la construction d'un pont en pierre 100 mètres à l'est du gué pavé, le *cardo maximus* se déplaça lui aussi pour coïncider avec le nouvel axe de la Domitienne.

Le patrimoine monumental de l'époque romaine apparaît comme décevant en considération de la prospérité et de l'importance de la ville antique. Les seuls vestiges préservés et restaurés à l'identique sont connus sous le nom d'*horrea* dont la meilleure traduction devrait être « entrepôts ». Il s'agit de deux galeries perpendiculaires de 50 mètres de long dont le sol se situe à 5 mètres au-dessous du niveau des rues actuelles. L'aile nord, la mieux conservée, est bordée de réserves voûtées. La proximité du Vieil Mazel, le *macellum* romain, où l'on vendait des denrées périssables – viandes, poissons, légumes – donne à penser que ces caves servaient à garder la marchandise au frais et à l'abri des intempéries.

La cathédrale et les églises romanes ont elles aussi disparu, remplacées aux XIIIe et XIVe siècles par des édifices gothiques qui ont servi de modèles loin à la ronde.

Par chance, des fouilles conduites pendant les années 1980 au quartier nord du Clos de la Lombarde ont mis au jour une *domus* luxueuse dont les peintures murales ont pu être décol-lées et reconstituées. Elles sont aujourd'hui les œuvres les plus prestigieuses présentées au Musée archéologique, lui-même installé dans les salles du XIIIe siècle du Palais Vieux des Archevêques.

L'église gothique de Notre-Dame de Lamourguier, ancienne dépendance de Saint-Victor de Marseille, a été convertie en musée lapidaire en 1868. Elle abrite une collection extraordinaire de chapiteaux, de bas-reliefs, de frontons, de stèles, d'inscriptions et de sarcophages récupérés au fur et à mesure des démolitions et des excavations.

Vue aérienne générale prise du sud vers le nord, au centre, la vieille ville.
© cliché Jean-Marc Colombier-Ville de Narbonne

Clos de La Lombarde, peinture murale (Ville de Narbonne).
© Raymond Sabrié

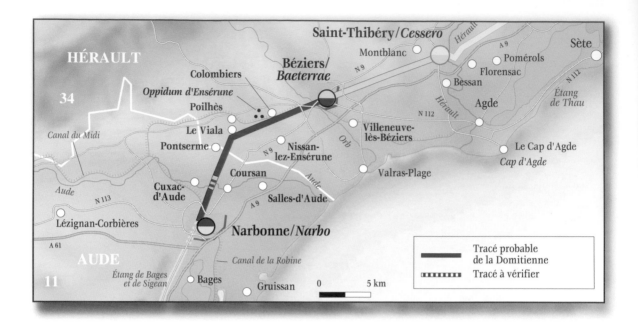

4. De Narbonne à Béziers

Le segment de Narbonne à Béziers est bien plus facile à suivre que le segment précédent car il a échappé à l'ouverture de voies modernes. Avant de franchir le collet de Malpertus, la Domitienne tangentait le monticule de l'Ayrecha où se dressaient les *« fourches du vicomte »*, le gibet des seigneurs médiévaux de Narbonne. De là, elle se dirigeait tout droit vers Pontserme. Le franchissement de l'Aude était plus aisé au temps des Romains car le cours d'eau n'était là que la branche septentrionale du delta.

Le viaduc de Pontserme
Trois kilomètres au nord du fleuve, la *Via Domitia* qui est longée maintenant par le canal de la Noer avait été aménagée en viaduc pour éviter aux véhicules de s'embourber dans la berge marécageuse de l'étang de Capestang. Cinq arches de cet ouvrage d'art nous ont été conservées. Le déterminant *serme* serait une contraction de *septimus*. Pour les uns, Pontserme aurait été un pont de sept arches, pour les autres il s'appellerait ainsi parce qu'il était situé à VII milles de Narbonne.

L'arche cardinale à l'extrémité nord de la chaussée a été choisie par les Romains comme point de triangulation lors de la mise en place des cadastres Narbonne C et Bézins C. De nos jours s'y rejoignent les limites de cinq communes, Montels, Coursan et Cuxac-d'Aude dans l'Aude, Capestang et Nissan-lez-Ensérune dans l'Hérault. C'est aussi à cet endroit précis

Four de potier conservé in situ.

Collection du musée
de l'Amphore.
© Jacques Debru

Le musée de l'Amphore à Sallèles-d'Aude
(12 kilomètres au nord-ouest de Narbonne)

Des fouilles archéologiques menées pendant dix-sept ans ont exhumé un complexe de poteries s'étendant sur environ 3 hectares au nord du village de Sallèles-d'Aude, au lieu-dit Clos-Reynaud. Installés depuis 30-20 av. J.-C., les artisans avaient été attirés sur le site par la présence d'abondants bancs d'argile. La rivière de la Cesse leur apportait à la fois l'eau dont ils avaient besoin pour le tournage et, par flottage, les bois de la Montagne Noire dont ils se servaient pour la cuisson. Pendant trois siècles, la principale fabrication des ateliers de Sallèles a concerné les amphores utilisées pour le conditionnement et l'acheminement des vins et des huiles produits dans le fertile Minervois. Chacun de ces récipients contenait un pied cube, ce qui correspond à 26,364 litres. Ils étaient emballés trois par trois dans des caisses à claire-voie. Un mulet convoyait deux casiers, soit au total six amphores. Viticulteurs et oléiculteurs venaient s'approvisionner sur place. Après le remplissage, ils confiaient la marchandise à des transporteurs dont les caravanes allaient soit prendre la Domitienne pour les livraisons dans la Narbonnaise, soit décharger à la Nautique pour les expéditions par mer. Depuis 1997, Amphoralis, le musée de l'Amphore, fait revivre in situ les différentes phases de la fabrication des poteries. Il permet de mettre l'accent sur les techniques d'emballage et les modes de transport à l'époque gallo-romaine.

que la Domitienne s'infléchit vers le nord/nord-est.

Passage obligé avant la construction du pont de Coursan, le viaduc de Pontserme a fixé un péage très rémunérateur pendant le Moyen Age. A partir de là, la Domitienne est pérennisée par un chemin de terre passant par Monsac et Saint-Eugène et faisant la limite entre Nissan et Capestang. Elle parvient à un petit col appelé lui aussi le Malpas et situé à 28 mètres d'altitude. Il marquait les confins des *civitates* de *Narbo* et *Betterae*.

Comme le Malpas de Salses, le Malpas de Nissan a vu converger vers lui plusieurs voies de l'époque moderne : la N 113 ainsi que le canal du Midi et le chemin de fer qui franchissent tous deux ce passage encombré grâce à un tunnel. Surplombant au nord le Malpas, l'oppidum ibéro-ligure d'**Ensérune** contrôlait le trafic par terre.

A partir de là, la Domitienne tire tout droit sur Béziers. Toujours utilisée pour la desserte locale, elle a été récemment goudronnée. A l'occasion du creusement du port de Colombiers sur le bord du canal du Midi, les fouilles archéologiques ont mis au jour une vingtaine de mètres de voie antique, confirmant ainsi l'authenticité du trajet.

Sur les cadastres, ce tronçon qui longe les hameaux de Vieille et de Combecul est appelé « vieux chemin de Colombiers ». La Domitienne est pérennisée par la N 9 pendant un kilomètre, puis elle enjambe l'Orb.

A la sortie ouest de *Baeterrae*, la *Via Domitia* enjambait l'Orb grâce à un pont de pierre dont les neuf arches s'offrent encore au regard. Depuis bientôt deux millénaires, il résiste aux caprices du fleuve et il continue à recevoir les véhicules sortant ou rentrant dans la ville. Les arcades en plein cintre sont bâties en grand appareil

Des fouilles archéologiques, commencées dans l'été 2007 sous l'égide de Monique Clavel-Lévêque, dans la plaine de Colombiers, ont permis de découvrir un nouveau tronçon de la Via Domitia. Cette section est la seule route à quatre voies mise au jour dans l'Empire romain.
(Site en cours d'aménagement)

L'oppidum d'Ensérune à Nissan

Depuis le VIe siècle av J.-C., la colline d'Ensérune a fixé des groupes d'habitants. Cet oppidum facilitait le contrôle du trafic le long du défilé du Malpas, emprunté successivement par la voie Héracléenne et par la voie Domitienne.

On ne sait par quel mystère, le nom d'Ensérune ne figure sur aucune inscription, ni sur aucun texte de l'Antiquité.

Pourtant l'existence d'une agglomération prégauloise est attestée par la mise au jour de plusieurs îlots d'habitation et la découverte de nombreux silos à grains.

Vestiges du forum d'Ensérune avec au second plan l'étang de Montady.
© Henry Ayglon

L'originalité d'Ensérune lui est donnée par la vaste nécropole qui s'étend à l'ouest du plateau. Préservées du pillage par l'abandon de l'habitat au cours du Ier siècle apr. J.-C., les cinq cents sépultures à incinération ont livré un mobilier d'une extrême richesse.

Depuis 1933, une très haute villa construite en 1914 au sommet de la colline a été transformée en musée. Celui-ci abrite maintenant la plus belle collection de vases attiques à figures noires et à figures rouges du midi de la France, offrant aux visiteurs une vision originale de la peinture sur vase des VIe, V^e et IVe siècles av. J.-C.

En 2001, la communauté de communes, intelligemment baptisée la Domitienne, a pris l'initiative d'implanter sur le bord du canal du Midi une structure d'accueil, la Maison du Malpas. Celle-ci a pour mission de diffuser la documentation et les publications sur le pays, d'organiser des visites guidées des voies antiques et modernes et de promouvoir les produits régionaux.

---

avec une seule rangée de claveaux qui retombent sur un cordon mouluré marquant la naissance de la voûte. La plupart des écoinçons maçonnés entre les piles sont percés d'ouïes de dégorgement en plein cintre. Ces ouvertures permettaient d'évacuer une partie des eaux de crue et évitaient ainsi que la façade nord du pont ne se transforme en un véritable mur de barrage. Les travaux de restauration engagés aux XVIIe et XIXe siècles ont entraîné le nivellement du tablier, la réfection des parapets et le remplacement des arrière-becs.

Béziers / *Baeterrae*

La *Via Domitia* entrait dans *Baeterrae*, la capitale de l'ethnie des Longostalètes, par l'actuelle rue Cantarelles et passait dans l'étroit vallon qui sépare l'acropole antique de la colline où s'élèvent les arènes romaines et l'église romane Saint-Jacques. Elle grimpait jusqu'à la place appelée aujourd'hui Jean-Jaurès par la montée dont l'assise a été reprise par la rue Estienne-d'Orves.

On a retrouvé un milliaire de l'usurpateur Tétricus (IIIe siècle ap. J.-C.) à l'angle de l'avenue Saint-Saëns qui pérennise la voie romaine. C'est sur

Acropole de Béziers.
© Pierre-Albert Clément

ce parcours que l'on a découvert une vaste nécropole du Haut-Empire, notamment dans le quartier des arènes contemporaines.

Dès l'époque celte, Béziers a représenté un carrefour stratégique où convergeait la voie directe sur Carcassonne appelée encore *l'Estrade vieille* et pérennisée par la D 11, la pénétrante aboutissant à *Divona Cadurcianorum* (Cahors) par Rhèdes, Barre et Albi et le chemin antique devenu l'actuelle N 113, vers Pézenas.

Etape de la voie Héarkléenne au franchissement de l'Orb, *Baeterrae* a conservé et renforcé son rôle de station routière après l'aménagement de la Domitienne. Comme Narbonne, elle a été avantagée par l'octroi du droit romain et par l'arrivée de vétérans de la septième légion qui ont valu à Béziers le titre prestigieux de *colonia urb Julia Septimanorum Baeterrensis*.

La *Via Domitia* passant au pied de la colline où était implanté l'oppidum préromain, elle n'a pas été prise en compte par les arpenteurs qui ont déterminé les axes de l'urbanisation au 1er siècle av. J.-C. On estime que le *cardo maximus* a été pérennisé par les rues contemporaines du Chapeau-Rouge et des Anciens-Combattants et le *decumanus maximus* par les rues Viennet et 4-Septembre.

Le Pont-Vieux et l'« acropole» biterroise.
© Musée du Biterrois, Ville de Béziers

Les arènes antiques de Béziers en cours de restitution.
© Pierre-Albert Clément

**La cathédrale
Saint-Nazaire-et-Saint-Celse.**
© Pierre-Albert Clément

La ville médiévale et la ville moderne s'étant superposées à l'habitat antique, rares sont les vestiges accessibles remontant à l'époque romaine. Seules les arènes de l'îlot Saint-Jacques sont peu à peu dégagées de leur gangue de venelles et de maisons plus ou moins récentes.

Cet amphithéâtre elliptique de 105 x 75 mètres hors tout remonterait à la première moitié du siècle marquant le début de notre ère. Les banquettes semi-circulaires de la partie orientale sont les mieux conservées car elles étaient excavées sur le flanc même de la colline. Du côté opposé, la restitution des galeries voûtées qui

supportaient les gradins s'avère plus délicate.

Le patrimoine roman de Béziers a été bien mieux épargné que celui de Narbonne. Les quatre édifices majeurs du XIIe siècle ont tous conservé, à des degrés divers, une partie des constructions d'origine.

La cathédrale Saint-Nazaire-et-Saint-Celse, juchée sur la falaise qui domine l'Orb, a été profondément remaniée au XIIIe siècle, à la suite des dommages qu'elle avait subis lors de la prise de la ville par l'armée royale en 1209. Seuls sont parvenus jusqu'à nous les murs de la travée précédant le transept.

La façade et le clocher romans de l'église de la Madeleine. © Pierre-Albert Clément

La basilique Sainte-Aphrodise qui a succédé à une chapelle cimetériale hors les murs recèle une crypte qui remonterait au IXe siècle et qui aurait abrité les reliques du saint.

L'église de la Madeleine possède encore son abside, son transept et sa façade romans. La nef à triples vais-

seaux a été reconstruite après les évènements de 1209.

Le monument le plus épargné a été l'abbatiale Saint-Jacques qui se trouve au voisinage des arènes antiques. Son chevet pentagonal présente un décor incontestablement inspiré de celui des temples romains qui existaient encore au XIIe siècle. En témoignent l'entablement aux motifs antiquisants, les chapiteaux à palmettes, fleurons et entrelacs et les colonnes d'angle s'appuyant sur de puissants pilastres.

Un édifice civil symbolise l'épanouissement de l'art roman biterrois. Il s'agit de la maison traversante aux corbeaux sculptés dont une façade s'ouvre sur la rue d'En-Vcdel et la façade opposée sur la rue du Chapeau-Rouge.

Le chevet au décor antiquisant de l'abbatiale Saint-Jacques.
© Pierre-Albert Clément

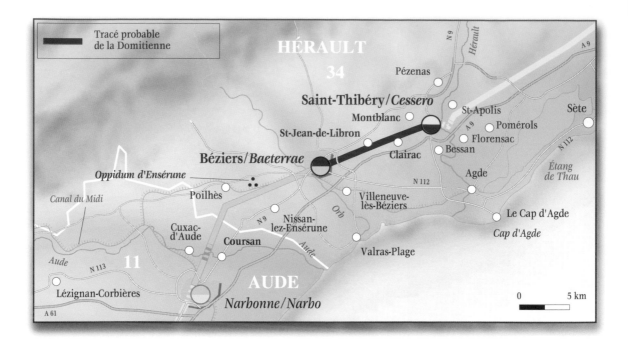

Tracé probable
de la Domitienne

HÉRAULT
34

Pézenas
Saint-Thibéry/*Cessero*
Montblanc   St-Apolis   Sète
St-Jean-de-Libron   Pomérols
Florensac
Clairac   Bessan
Béziers/*Baeterrae*   N 112
Étang de Thau
Oppidum d'Ensérune   Agde
Canal du Midi   N 112
Poilhès   Villeneuve-lès-Béziers
N 9   Le Cap d'Agde
Cuxac-   Nissan-   Orb   *Cap d'Agde*
d'Aude   lez-Ensérune
Coursan   Aude
Valras-Plage
Aude   N 113
11   AUDE
Lézignan-Corbières   Narbonne/*Narbo*
A 61

0   5 km

5. De Béziers à Saint-Thibéry

Depuis *Baetterae* jusqu'à *Cessero*/Saint-Thibéry, la *Via Domitia* suit sur 18 kilomètres un tracé rectiligne calqué sur la diagonale d'un saltus, c'est-à-dire sur la diagonale d'une subdivision rectangulaire du cadastre romain Béziers B.

Elle quitte la ville de la septième légion – *urbs julia septimanorum* – par la route de Bessan (D 28) qui l'a reprise sur 3 kilomètres. On en perd ensuite la trace jusqu'au franchissement d'un premier obstacle, le Libron. A cause des changements de lit de ce ruisseau, on n'a pas pu localiser le pont antique situé en face du domaine de Clairac.

De là, la Domitienne poursuit vers le mas de Bel Air en traversant le Grand Bois. Elle franchit alors le ruisseau de Rouyre pour parvenir au lieudit Borne des Trois Seigneurs qui correspond au milliaire XXIV (XXIVe mille depuis Narbonne). Après avoir enjambé le ruisseau de Laval sur le ponceau romain des Castans, elle gravit la pente de la ligne de crête qui fait le partage des eaux des bassins versants du Libron et de l'Hérault.

Elle redescend pour passer entre deux talus. Sur celui de gauche se dresse encore la Croix de la Demi-Lieue dont le socle paraît appartenir au milliaire XXVI.

La *Via Domitia* est pérennisée par la D18, 2,5 kilomètres avant Saint-Thibéry et elle longe le rebord méridional du puech basaltique où se nichait l'op-

pidum de *Cessero*. Saint-Thibéry était la tête de ligne de la pénétrante dite de la Graufesenque, qui se prolongeait jusqu'au grand carrefour routier de *Segodunum*/Rodez en passant par Paulhan, Lodève et Millau.

Le pont de Saint-Thibéry

Le pont de Saint-Thibéry représente le plus long ouvrage d'art construit sur le tracé de la voie Domitienne. Malheureusement, seules quatre arches jointives ont été sauvegardées dans la

Le pont romain de Saint-Thibéry avec ses avant-becs triangulaires.
© Pierre-Albert Clément

Vignobles aux environs de Béziers. © Jacques Debru

Le moulin de Saint-Thibéry avec la tour romane où la farine était conservée à l'abri des pillards.
© Jacques Debru

dans lequel il est fait mention d'un pont et d'un marché à Saint-Thibéry.

Les piles restantes offrent un réel intérêt avec leurs avant-becs en triangle destinés à éviter que les troncs d'arbres ne viennent frapper violemment sur la maçonnerie en temps de fortes crues. Les arrière-becs, de forme identique, avaient pour fonction d'empêcher la formation de remous à la base des fondations. Ici encore, des baies de décharge en plein cintre facilitaient l'écoulement des hautes eaux. Enfin, l'arrachement des moellons en moyen appareil des écoinçons permet de voir la maçonnerie en blocage qui était constituée de galets de basalte noyés dans un mortier indestructible.

Saint-Thibéry/Cessero

Dans l'Antiquité, Saint-Thibéry s'est développé sur deux sites différents dont les vestiges ont disparu sous des quartiers plus récents. L'oppidum, déjà occupé au bronze final, était perché sur un éperon de basalte. Il s'est perpétué au Moyen Age où il a reçu le nom de Fort, justifié par les remparts dont subsistent plusieurs courtines.

A l'époque romaine, une ville basse est née non loin du pont. Elle a été réactivée dès le IXe siècle par la fondation d'une abbaye bénédictine. Cette agglomération, autrefois enclose derrière des murailles, est pérennisée aujourd'hui par des toponymes médiévaux. La rue droite marque le tracé de la voie allant à Rodez, la Grand-Rue celui de la Domitienne et la rue de la Cave celui des anciens fossés.

Plusieurs édifices gardent le souvenir de l'architecture romane, tels la crypte (la *gleisette*) de l'abbatiale gothique et le prestigieux moulin à farine sur l'Hérault.

partie droite du lit de l'Hérault. L'antiquité de ces vestiges a été longtemps contestée. Les détracteurs de la romanité du pont avançaient comme principal argument le profil en segment de cercle des voûtes encore en place. En réalité, cette affirmation est contredite par l'existence en Italie de nombreux ponts romains dont les arcades possèdent, elles aussi, une ouverture surbaissée.

La controverse vient de prendre fin récemment avec l'exhumation par un chercheur opiniâtre d'un acte de 990

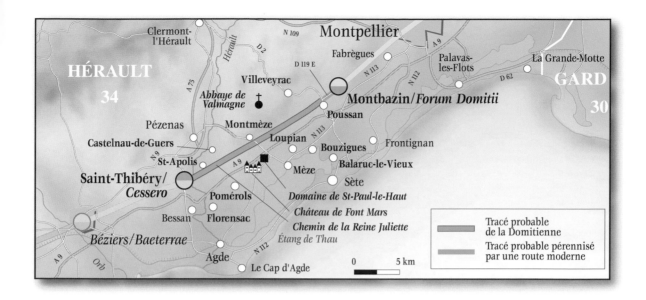

6. De Saint-Thibéry à *Forum Domitii*

Borne milliaire de Tibère découverte à Saint-Thibéry.
© Musée du Biterrois, Ville de Béziers

Sur une dizaine de kilomètres, la Domitienne est appelée dans les cadastres chemin de la Reine-Juliette. Cette énigmatique souveraine est totalement inconnue tant dans les manuels d'histoire que dans le folklore septimanien.

Ce nom dériverait du latin *Via Juliana* qui désignait une autre section de la *Via Domitia*, située sur la rive droite du Rhône entre Beaucaire et Fourques. Cette appellation se retrouve en Italie sur le tronçon de la *Via Aurelia* reliant Vintimille à Plaisance.

L'itinéraire de Saint-Thibéry à Montbazin est également dénommé au XIe siècle dans le cartulaire de Saint-Guilhem chaussée de *Brunicheld*. Il s'agirait d'une déformation de Brunchaut (543-613), fille du roi wisigoth Athanagild. On voit mal le rôle qu'elle aurait pu jouer dans le réaménagement de la voie romaine, car elle avait quitté très jeune la Septimanie pour épouser en 567 Sigebert Ier (535-575) roi de l'Austrasie franque. Il est donc possible qu'une autre princesse qui aurait porté le même prénom ait été impliquée dans des travaux de réfection de la Domitienne au haut Moyen Age.

Entre Saint-Thibéry et Saint-Paul-le-Marseillais, la voie antique coïncide exactement avec la limite nord de la chora massaliote d'Agde. Celle-ci avait été cadastrée par les Grecs en carrés d'un stade de côté (180 mètres). Ce maillage est donc très différent du tramage romain en centuries de 706 mètres de côté. On peut en conclure que sur cette portion la *Via Domitia* a repris exactement le tracé de la *Via*

Le musée de l'Ephèbe au cap d'Agde

Le littoral du cap d'Agde, l'embouchure de l'Hérault et le lit du fleuve jusqu'à Saint-Thibéry sont très riches en épaves antiques. L'essor de l'archéologie sous-marine est à l'origine de la création d'un musée où sont rassemblées les trouvailles les plus significatives : notamment des séries d'amphores gréco-romaines et des œuvres d'art en bronze parmi lesquelles les statues de l'Ephèbe, de l'Enfant et d'Eros.

Mosaïque. © Musée de l'Ephèbe

Ephèbe.
© Musée de l'Ephèbe

Enfant. © Musée de l'Ephèbe

Eros.
© Musée de l'Ephèbe

Heraklea. Bien mieux, quand les arpenteurs romains ont entrepris la mise en place du cadastre Béziers C aux environs de 70 av. J.-C., ils se sont appuyés sur la Domitienne qui est devenue un *decumanus*, un axe est-ouest, du découpage fiscal et administratif.

L'itinéraire de *Cessero* à *Forum Domitii* se distingue par son tracé rectiligne et par sa lisibilité intacte d'un bout à l'autre. Il n'y a qu'à la sortie du pont de Saint-Thibéry que la voie antique ne peut pas être repérée. On ne l'identifie qu'après le passage du bras mort de l'Hérault qui constituait la bordure orientale de l'île médiévale.

A partir de là, on peut suivre la Domitienne à pied sans difficulté jusqu'à Saint-Paul-le-Marseillais.

Elle recroise tout d'abord la D 32 qui pérennise l'ancien chemin de Florensac à Castelnau-de-Guers, puis parvient à la Font Ermengaud où elle est recoupée par le chemin dit des « Romains » mais qui se trouve être en réalité un chemin des « *romieux* ». Les pèlerins médiévaux l'empruntaient depuis Mèze pour aller passer l'Hérault au bac de Saint-Apolis.

La fontaine où se désaltéraient les gens de pied, les cavaliers et les montures se trouve au-dessous de la voie. Elle est protégée par une voûte suffisamment dimensionnée pour supporter le poids des chariots à quatre roues.

Trois cents mètres en suivant, la croix, dite de Ménard, marque le croisement avec la D 32E. A partir de là, la *Via Domitia* est construite en remblai de 2 mètres de haut. En se retournant, on aperçoit dans l'axe du chemin l'échancrure découpée entre les volcans jumeaux du mont Ramus qui surplombent Saint-Thibéry. Les aménageurs de la voie Hérakléenne avaient donc déjà utilisé cette mire naturelle pour orienter le chemin pré-romain.

La voie domitienne sur le tronçon où elle marque la limite nord de la chora massaliote d'Agde.
© Alain Peyre

A partir de son carrefour avec la D 161, la Domitienne marque pendant 4 kilomètres les limites entre les cantons de Montagnac et d'Agde, ce qui confirme que les confins de la *chora* grecque se sont perpétués au long des millénaires.

Deux coupes sur la portion en remblai permettent d'analyser la structure de la voie, d'une part sur la fouille conduite, dans le bois de Vallongue, par Marc Lugand en 1987, d'autre part à l'endroit où l'Equipement a entaillé la Domitienne à son croisement avec la D 161E. Dans les deux cas les trois

La villa des Prés-Bas à Loupian

Les fouilles entreprises en 1968 au sud de Loupian et de la Via Domitia se sont concrétisées par le dégagement des substructions de plusieurs villas qui se sont superposées sur le site depuis le Iᵉʳ siècle av. J.-C.

On peut estimer que ce domaine a atteint son apogée au début du Vᵉ siècle apr. J.-C. Les appartements luxueux de cette époque se répartissent en quatorze pièces dont le pavement

Loupian, détail d'une mosaïque, villa gallo-romaine.
© Jacques Debru

s'orne de mosaïques sur plus de 400 mètres carrés. Depuis 1998, cet ensemble unique en France est protégé par un spacieux bâtiment et il est ouvert à la visite.
A proximité immédiate, un musée de site retrace la vie et les activités de la villa des Prés-Bas tout au long de l'Antiquité.

Sainte Cécile-de-Loupian, cuve baptismale.

couches de ballast superposées montrent qu'il y a eu trois rechargements successifs au long des siècles.

Après son carrefour avec la D 159 E au nord-est de Font-Mars, la voie romaine apparaît comme un modeste chemin de terre. Elle est alors recoupée par la N 113. Les recherches menées récemment par Daniel Rouquette ont permis de localiser l'agglomération gallo-romaine de *Frontiana* signalée par le quatrième vase apollinaire, au niveau de la Font Perdigal. Dans ce secteur, la *Via Domitia* se trouve à 300 mètres seulement de l'autoroute A 9 et de l'aire de repos dite de Mèze.

Une fois passé le Pallas, la Domitienne monte par la tranchée des Baumes jusqu'à la Combe Rouge. Elle évite ensuite par le nord le puech de la Languette et tire tout droit au flanc sud de la colline du pioch de Madame.

Elle redescend à partir du lieu-dit l'El-bèche jusqu'au carrefour des Quatre Chemins à partir duquel elle est pérennisée jusqu'à Montbazin par la D 119 E. La rue contemporaine qui a repris son assise a été pertinemment baptisée « Chemin des Romains ». Le nom de *Forum Domitii* que portait la ville gallo-romaine donne à entendre que son fondateur voulait en faire non seulement un relais mais aussi un lieu de commerce et d'échanges comme ce fut le cas pour *Forum Julii*/Fréjus sur la voie Aurélienne et pour *Forum Segusiavorum*/Feurs sur la voie de Lyon à Cahors.

Montbazin/*Forum Domitii*

A *Forum Domitii*, la station routière s'étalait sur une dizaine d'hectares localisés au quartier des Courbes et des Salles. Le site n'a plus été occupé

Trois des apôtres de la fresque
romane de l'église Saint-Pierre
de Montbazin. © Alain Gas

Le cul-de-four peint
de Saint-Pierre de Montbazin.
© Henry Ayglon

depuis le IIIe siècle apr. J.-C., ce qui explique que les vestiges soient difficiles à repérer. Au XIIe siècle, une agglomération ceinte de remparts a occupé la colline plus à l'ouest qui surplombe la vallée de la Vère. L'église romane Saint-Pierre a été intégrée dans le mur nord. Exemple rarissime, le chevet de plan trapézoïdal est supporté par un passage voûté en plein cintre qui constituait une des entrées dans l'enclos.

On a mis au jour en 1959 des fresques romanes à l'intérieur de l'abside. Elles représentent les douze apôtres encadrant un Christ en majesté dont seule la mandorle a été sauvegardée.

Les murailles du XIIe siècle sont encore bien visibles sur la face nord du *castrum* et aux abords de la porte monumentale de la rue du Four.

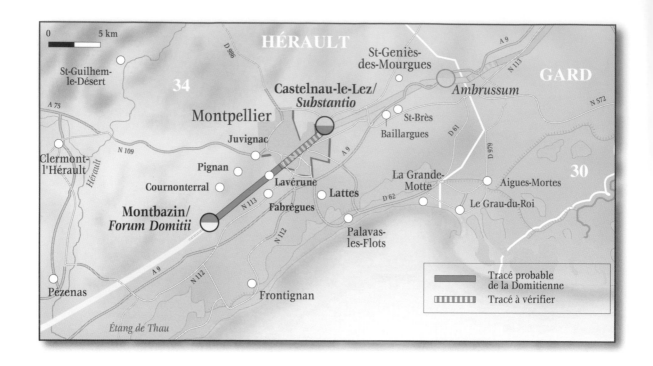

7. *De Forum Domitii* à Castelnau-le-Lez

La voie domitienne entre les rivières du Coulazou et de la Mosson. Au premier plan le tracé se distingue par sa couleur plus claire.

© Alain Peyre

A partir de Montbazin, la Domitienne conserve son orientation sud-ouest/nord-est. Celle-ci a été déterminée en visant depuis le puech Regantius, la colline au-dessus de *Forum Domitii*, un signal artificiel placé au point le plus haut du site où s'inscrira Montpellier un millénaire plus tard. Cette mire devait être probablement le *pessulum*/menhir érigé en haut du plateau du Peyrou qui fut appelé au Moyen Age *Mons Pessulanum*, le mont du menhir.

Le tracé de la voie antique jusqu'au ruisseau du Lasséd éron a été utilisé comme *decumanus* par le cadastre romain Montpellier A. La *Via Domitia* est devenue aujourd'hui un che-

min de desserte jalonné par les lieux-dits la Font des Chiens et Saint-Martin de Scafiac. Peu avant le Truc-d'Agnac, elle croise la D 114 qui a succédé à l'antique chemin salinier menant autrefois de l'étang de Vic-la-Gardiole à Cournonterral, le San Geminiano de la Septimanie.

Le pont du Bordelet

Au nord-ouest de **Fabrègues**, le pont du Bordelet, sur le ruisseau du Coulazou, constitue l'exemple type de la solution qu'avaient adoptée les Romains pour le franchissement des oueds côtiers. Grâce à une arche unique en dos d'âne, les crues s'évacuaient rapidement. En cas d'engorgement, le trop-plein se déversait en s'écoulant par des déversoirs latéraux au départ des deux culées. L'arche du Bordelet a été détruite en 1960, mais des photos témoignent de son profil de plein cintre. Seules subsistent aujourd'hui les deux culées bâties en moyen appareil maçonné à chaux et à sable.

A partir de son carrefour avec la D 185, la *Via Domitia* a été bitumée et elle a été récupérée dans le réseau routier contemporain sous l'appellation D 185 E. On perd sa trace à Lavérune dans le parc arboré de la résidence où les évêques de Montpellier aimaient à prendre leurs vacances. Elle réapparaît pendant 800 mètres, là où elle est pérennisée par la D 5.

Le pont romain qui enjambait la Mosson était l'un des points clés des cadastres antiques. Encore aujourd'hui, le pont moderne qui l'a remplacé se trouve à la jonction des limites de quatre communes, à savoir Montpellier, Saint-Jean-de-Védas, Lavérune et Juvignac.

Pendant environ 8 kilomètres, la Domitienne est englobée dans le territoire actuel de Montpellier où, malgré une urbanisation galopante, de nombreux tronçons sont encore identifiables, jusqu'en 1961. Depuis le pont de la Mosson jusqu'à l'ancienne ligne de chemin de fer devenue voie rapide, elle a été pérennisée intégralement par le CV 143. Récemment celui-ci a été bitumé et a été baptisé rue du Pont-de-Lavérune.

La Via Domitia, qui a été détruite au voisinage de la gendarmerie par des immeubles contemporains, se repère à nouveau dans le tracé de la rue de Las Sorbes compris entre l'avenue de Lodève et l'avenue Saint-Clément. A partir de ce dernier carrefour, la voie romaine disparaît sous des barres en copropriété puis réapparaît dans les champs d'expérimentation de l'Ecole nationale d'agriculture. Avant sa

Le musée archéologique Henri-Prades à Lattes

Il est bâti au bord d'un des quais de Lattara qui a été le port de Substantio depuis le VIᵉ siècle av. J.-C. jusqu'au IIIᵉ siècle apr. J.-C. Les collections réunissent les vestiges les plus représentatifs en provenance de Castelnau et de Lattes : stèles funéraires parmi les plus anciennes de la Narbonnaise, fragments architecturaux, bornes milliaires, sculptures, ustensiles de la vie quotidienne avec en particulier un rarissime assortiment d'objets en verre.

destruction, on pouvait admirer le gué antique qui permettait de traverser l'oued du Verdanson. La chaussée était soutenue à l'aval par une maçonnerie de gros blocs identique à celle que l'on voit encore au gué du Reculon près d'Apt.

Après le passage du Verdanson, la voie romaine est pérennisée par l'avenue que les érudits locaux ont fait judicieusement baptiser Voie Domitienne, puis ensuite par l'avenue du Docteur-Pezet, par l'avenue Sabatier-d'Espeyran et par la rue de l'Aiguelongue.

Arrivée au mas de Bourgade, la Domitienne tournait à droite pour longer la rivière du Lez qu'elle franchissait 500 mètres plus bas grâce à un pont dont ne subsistent plus que les bases des piles. Ensuite, elle se hissait sur le puech où s'élevait l'oppidum de *Substantio* ou *Sextantio* déjà fréquenté par les négociants étrusques et phocéens au premier âge du fer.

Castelnau-le-Lez/*Substantio*

Les vestiges de la *Via Domitia* dans la traversée de Castelnau-le-Lez ont été récemment détruits, victimes de l'épidémie pavillonnaire. *Substantio* représentait l'une des agglomérations les plus prospères de la province de Narbonnaise. Elle était la tête de ligne de la pénétrante préromaine qui menait jusqu'à Gergovie, la capitale des Arvernes, en passant par Alès,

pant. Cet édifice est représentatif de l'architecture du diocèse de Maguelone dans la seconde moitié du XIIe siècle. Il offre un appareil alterné à joints fins, appelé appareil de Montpellier. L'art des tailleurs de pierre transparaît également dans les frises d'arcatures monolithes qui couronnent l'abside et les murs de la nef ainsi que dans les arcatures en échelle double de la façade. Saint-Jean-Baptiste de Castelnau représente un exemple concret de la mise en défense des édifices du culte aux époques troublées du XIVe siècle.

Certaines églises ont été transformées alors en maisons fortifiées en rehaussant le chevet pour en faire une tour maîtresse. On remarque donc à Castelnau la surélévation de l'abside en appareil sommairement ajusté et les consoles en avancée qui supportaient les assommoirs.

Portail de la cathédrale romane de Saint-Pierre de Maguelonne. Un milliaire décoré de rinceaux a été réemployé comme linteau.
© Henry Ayglon

Langogne, Fix et Brioude. Elle était aussi une place commerciale active comme en témoigne la mention de *SEXTANT* sur l'*index nundinarii* conservé au Musée archéologique de Nîmes. La présence de *Sextantio* sur cette table de pierre confirme que l'oppidum possédait son propre jour dans le cycle des marchés de l'*ager nemausensis*, le territoire de Nîmes.

Par chance, l'église romane dédiée à saint Jean-Baptiste a échappé, ainsi que ses abords, à l'urbanisme galo-

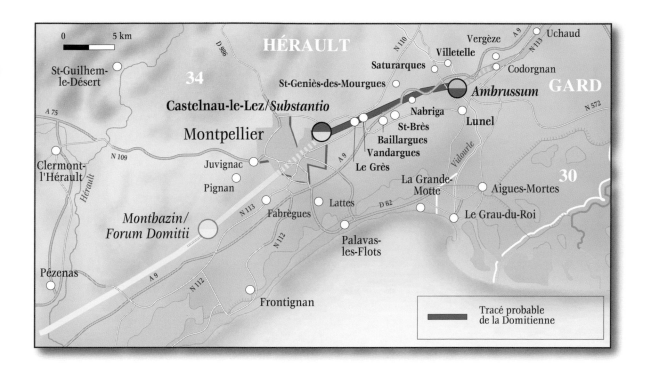

8. De Castelnau-le-Lez à *Ambrussum*

Entre Lez et Vidourle, la Domitienne a été choisie par les arpenteurs romains pour devenir le *decumanus maximus* du cadastre appelé à juste titre par les archéologues « *Ambrussum Sextantio* ». Entre ces deux oppida le tracé demeure rectiligne. Toutefois, l'autoroute A 9 ayant adopté un itinéraire de même direction, certaines sections de la voie romaine en ont souffert.

Sur tout ce segment, la *Via Domitia* est appelée « chemin de la Monnaie ». Cette appellation permet de la retrouver sur le territoire du Crès où elle longe le CES de « La Voie Domitienne » et vient passer devant l'église

où une borne milliaire a été réutilisée dans le mur méridional. Après avoir franchi le Salaison, elle traverse Vendargues dont elle a fixé la rue principale qui lui doit son nom de chemin de la Monnaie.

Une fois franchie la Cadoule, elle fait la limite de Castries et Baillargues. A hauteur du mas de Roux et du gué du Bérange, elle tangente par le nord le remblai de l'autoroute A 9, puis par le sud à partir de l'aire de repos de Nabrigas. C'est là qu'elle marque les confins des communes de Saint-Géniès-des-Mourgues et de Saint-Brès. Toujours en bordure sud de l'autoroute, elle passe à Fontcendreuse juste avant de franchir

Le passage du Vidourle avec au premier plan la patte-d'oie de Gallargues et à l'arrière-plan les murailles (en clair) de l'oppidum d'*Ambrussum* entourant la colline. © Alain Peyre

Portion dallée de la voie à l'intérieur de l'enceinte de l'oppidum. © Henry Ayglon

En haut à droite
Rempart préromain de l'oppidum avec courtine et tours semi-cylindriques de flanquement.
© Pierre-Albert Clément

le Dardaillon. Peu après, elle est recoupée deux fois par l'A 9 à 2 kilomètres d'intervalle, là même où elle sert de limite à Vérargues et Lunel-Viel. Après son intersection avec la D 110, elle est repérable sur le plateau des Parédasses d'où elle descend contourner par le sud l'oppidum d'*Ambrussum*.

Ambrussum/Villetelle

L'abandon précoce de la colline du Devès, à la fin du Ier siècle apr. J.-C., c'est-à-dire à la même époque qu'à Ensérune, a permis là aussi la préservation des vestiges de l'Antiquité.

Une section de voie pavée longue de 200 mètres constitue l'héritage le plus spectaculaire du site d'oppidum. Cet axe de l'agglomération gallo-romaine offre une largeur de 3,05 mètres (environ 10 pieds) et de profondes ornières à l'entraxe de 1,45 mètre. La voie pénétrait au sud dans l'enceinte fortifiée par une porte monumentale parfaitement identifiable grâce aux butées des vantaux et à la base d'une tour de protection.

Les usagers de la *Via Domitia* avaient le choix entre trois itinéraires. Ils pouvaient emprunter soit la section pavée évoquée ci-dessus, soit le « chemin de la Monnaie » qui contournait la colline par le sud, soit encore la variante par le nord, dont le tracé est parallèle à celui de l'autoroute A 9.

L'oppidum a également la particularité d'avoir conservé, en semi-élévation, une ligne continue de remparts qui ont été construits au IIIe siècle av. J.-C. et qui ont été renforcés au siècle suivant. Il ne manque que la courtine sud qui, au long des ans, s'est totalement effondrée à cause des affouillements répétés du Vidourle en crue.

La muraille encore en place sur 650 mètres de long est flanquée de vingt-cinq tours rectangulaires. La plus grande de celles-ci se trouve au point le plus haut de l'enceinte tout comme la tour Magne à Nîmes ou encore tout comme la tour sommitale de l'oppidum voisin des Castels à Nages. Il apparaît que ces monuments de prestige avaient pour fonction l'organisation du guet et l'émission de signaux en plus de la protection de l'enceinte.

Le site de l'oppidum à l'intérieur des murailles a vu plusieurs occupations successives. Les fouilles qui ont permis de dégager plusieurs terrasses du 1er siècle apr. J.-C. ont mis au jour les bases de *domus* à cour intérieure et une place bordée par un portique.

Comme à Saint-Thibéry, la construction d'un pont en pierre a été suivie d'un glissement de l'habitat depuis la colline du Devès jusqu'à la terrasse alluviale de la rive droite du Vidourle. La ville basse s'est développée de part et d'autre de la variante nord de la Domitienne. Les sédiments apportés par les crues ont favorisé la conservation des murs aux trois quarts de leur hauteur, à la manière dont les cendres du Vésuve ont protégé Pompéi. Les limons une fois évacués, il est possible de circuler à l'intérieur des maisons et de reconstituer l'urbanisme des trois premiers siècles après J.-C.

Un bâtiment spacieux qui couvre une superficie voisine de 500 mètres carrés s'apparentait déjà à nos fermes-auberges avec sa porte charretière donnant accès à une vaste cour au nord de laquelle on a exhumé une galerie avec quatre pièces supposées être des chambres pour les voyageurs. La présence des vestiges d'une forge et d'une meule incite à penser que ce complexe jouait à la fois le rôle d'hôtellerie et le rôle de bâtiment principal d'un domaine agricole. Tout près de là, la découverte de thermes confirme la vocation d'étape routière de ce quartier. L'intérêt des derniers sondages a fait avancer la construction d'un musée de site dont les travaux s'échelonnent sur 2005 et 2006. L'avant-projet de l'architecte Goroneskoul est géré par la communauté de communes du pays de Lunel.

La mise en valeur touristique d'Ambrussum est considérée comme une

opération pilote par l'association « Via Domitia » qui a parfaitement saisi l'impact d'un ensemble où sont rassemblés un pont, une auberge, des thermes, une voie pavée et des remparts antiques.

La cour centrale de la ferme-auberge avec les chambres pour les voyageurs.
© Anne Rusty Solignac

Le Vidourle à l'étiage avec ses nénuphars. © Henry Ayglon

Le pont d'*Ambrussum*

Le franchissement d'un fleuve aussi caractériel que le Vidourle avait nécessité la conception d'un ouvrage largement dimensionné. En cas de débordement, il fallait non seulement enjamber le cours d'eau lui-même mais aussi traverser sans s'embourber les terres de la rive gauche qui servaient de bassin d'expansion pour l'étalement des crues d'équinoxe.

Des fouilles sur la rive gauche et des prospections géophysiques sur la rive droite ont permis de conclure que le pont d'*Ambrussum*, long de 180 mètres, comportait onze arches reposant sur dix piles et deux culées. Du côté de l'oppidum, la rampe d'accès était quasiment horizontale car le tablier de la culée occidentale venait à hauteur de la voie pavée qui conduit encore vers le cœur de la ville antique. L'arche 1 s'appuyait sur la culée et sur la pile a et l'arche 2 s'appuyait sur les piles a et b qui étaient directement ancrées, comme la culée, sur le socle rocheux du site d'*Ambrussum*.

L'arche 3 repose sur la pile b et sur la pile c. Cette dernière est construite comme les piles d, e et f dans le lit même du Vidourle dont les sols sont plus fuyants. Les ingénieurs romains avaient donc arrimé les quatre éléments porteurs (piles c, d, e, f) dans des coffrages en bois qui étaient fixés au fond du fleuve par des pieux profondément implantés. La pile c émerge encore jusqu'à hauteur de la corniche en demi-rond qui souligne l'imposte de la voûte.

L'arche 4 a perduré jusqu'à ce que la vidourlade sauvage de septembre 1933 en descelle les pierres et les précipite dans le lit du fleuve. L'arche 5, récemment consolidée, demeure le dernier témoin de la splendeur passée du pont d'*Ambrussum*. Avec sa hauteur de 7 mètres par rapport à l'étiage, et son ouverture de 10 mètres, elle apparaît comme légèrement plus grande que ses collatérales disparues. Les piles d et e qui la supportent ont conservé leur avant-corps triangulaire, tandis que les deux écoinçons sauvegardés sont percés chacun d'un dégorgeoir rectangulaire. On remarque également les trois paires de corbeaux qui ont été utilisés pour recevoir les cintres de pose au moment de la construction de la voûte. L'extrados des voussoirs de cette arche offre deux profondes ornières parallèles qui confirment que le pont ne comportait qu'une seule voie et qu'il était impossible de s'y croiser. D'autre part, la présence de ces ornières implique que les chars ont continué à emprunter le pont bien après que l'on a cessé d'entretenir le pavage et la bande de roulement. L'arche 6 existait encore au milieu du XVIIe siècle lorsque le savant avocat nîmois, Anne de Rulman, fit exécuter un dessin du pont. En basses eaux, on voit encore la base de la pile f. L'arche 7 reposait sur cette pile f et sur la pile g. Cette dernière ainsi que les piles h, i et j s'appuyaient sur la terrasse alluviale de la rive droite. La hauteur des arches 8, 9, 10 et 11 allait en décroissant pour offrir une rampe d'accès en plan incliné.

En 1983, une équipe d'archéologues dirigée par Jean-Claude Bessac et Jean-Luc Fiches a procédé au treuillage des éléments provenant de l'écroulement de l'arche 4. Ces moellons en grand appareil ont été empilés sur la rive gauche dans l'attente d'une hypothétique restitution de la

Les blocs de grand appareil retirés du lit de la rivière : en attente d'être remis en place pour la restitution de l'arche 4. © Pierre-Albert Clément

Le départ de la voûte de l'arche 4 avec la bande de roulement constituée par des galets noyés dans du mortier. © Pierre-Albert Clément

voûte entre les piles c et d. On peut remarquer en particulier :
— les trous latéraux dans lesquels on introduisait la pince, dite de carrier, qui permettait de faire glisser le bloc jusqu'à l'emplacement prévu ;
— les mortaises latérales en queue d'aronde qui au moment de la pose recevaient des tenons en bois ou des scellements en plomb liant les pierres entre elles ;
— les trous percés au milieu de la face supérieure dans lesquels on introduisait la pince autoserrante de l'engin de manutention appelé la louve.
La construction de ce pont qui s'est substitué à un gué prégaulois paraît remonter à l'amorce du Ier siècle apr. J.-C., peut-être précisément à l'époque où l'empereur Auguste avait entrepris de réaménager la Via Domitia (2 et 1 av. J.-C.).

PONT D'*AMBRUSSUM*

Ambrussum · Gallargues

Pont romain d'Ambrussum · 1 a 2 b 3 c 4 d 5 e 6 f 7 g 8 h 9 i 10 j 11 · Essai de restitution A. Peyre

Repérage des arches et des piles

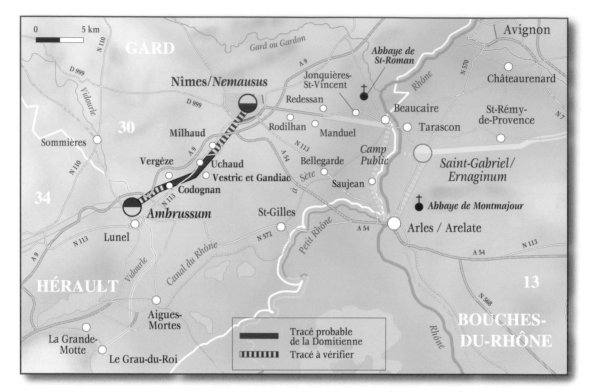

9. D'*Ambrussum* à Nîmes

A VIII milles de Nîmes, milliaire d'Antonin. Le latin Octavus a donné son nom au village d'Uchaud.
© Henry Ayglon

Sur la photo aérienne du pont, la Domitienne représente la branche médiane de la patte d'oie formée par les trois chemins qui convergent vers la culée de la rive gauche. On la devine dans la montée qui lui permet de longer par le nord le site de Gallargues avant d'être phagocytée par l'A 9 et son échangeur jusqu'au ruisseau du Razil.

Le tracé de la *Via Domitia* correspond ensuite à celui de l'actuelle D 42 dont elle se sépare à partir de l'endroit où elle est recoupée par la voie ferrée Montpellier-Nîmes. Là, elle est pérennisée par l'itinéraire goudronné qui a gardé ici aussi le nom de « chemin de la Monnaie ». Au lieu-dit le Grand Noyer, elle croise la D 1 qui n'est autre que la continuatrice du chemin Poissonnier qui reliait directement Psalmody à Alès. Plus à l'est, elle fait la limite entre Vergèze et Codognan. Au giratoire du Fès, elle est reprise jusqu'à Uchaud par la N 113. A la sortie de l'agglomération, elle quitte la nationale pour emprunter sur la droite la D 14. A cet embranchement existe encore une « Pierre Plantée » qui se trouve être en réalité une borne milliaire d'Antonin. Le chiffre VIII qui donne la distance jusqu'à Nîmes justifie l'étymologie *octavos* = Uchaud, le nom moderne de la commune. La Domitienne vient passer au nord du cimetière contemporain de Milhaud puis, après Carsalade, retrouve la N 113 - appelée maintenant, dans ce segment, avenue du Maréchal-Juin.

Dernier témoin du forum romain, la Maison carrée en habit de lumière. © Henry Ayglon

Nîmes/*Nemausus*

Dans la traversée de *Nemausus*/Nîmes deux tracés distincts se présentent.

Le plus ancien, qui date de l'époque républicaine, utilise l'assise de la voie Hérakléenne. Il piquait droit vers le nord avec pour mire la tour Magne préromaine. Entrant dans la ville par la porte du Cadereau, il gagnait l'oppidum du mont Cavalier selon l'axe repris maintenant par le boulevard Jean-Jaurès. Parvenu à la source, il obliquait à 120° selon une direction intangible calquée sur une ligne droite que l'on tirerait entre la tour Magne et l'échancrure de Roque Partide, 2 kilomètres à l'ouest de Beaucaire.

Le tracé le plus récent correspond au glissement de l'habitat vers le sud-est, à l'implantation d'un forum dont la Maison carrée fut un des temples et à l'édification en 15-14 av. J.-C. d'une enceinte fortifiée de 7 kilomètres de longueur qui englobera à la fois les nouveaux quartiers et l'oppidum du mont Cavalier.

Au début de notre ère, la Domitienne rentrait dans Nîmes par la porte d'Espagne, appelée de France depuis le XVIIe siècle, ce nouveau tracé est pérennisé par la rue Porte-de-France. A hauteur du forum, la *Via Domitia* pivotait de 90° selon le trajet repris par la rue Nationale sous laquelle on a mis au jour en 1991, sur une vingtaine de mètres, un dallage de l'époque flavienne (fin du Ier siècle apr. J.-C.).

La tour Magne, mire et tour de guet au point le plus haut des enceintes gauloises et romaines.
© Henry Ayglon

Dallage qui recouvrait la voie domitienne dans son parcours urbain à Nîmes. Fouilles ZAC des halles, 1991. Dallage mis en place dans les années 75-100 apr. J.-C. auparavant, la voie était empierrée. © Martial Monteil

Mosaïque des Néréides,
rue Sainte-Marguerite, Nîmes.
© MA Nîmes

Index nundinarii ou table des jours de marché
conservée au Musée archéologique de Nîmes.
Y figurent notamment VGERNI/Beaucaire et
SEXTANT/Castelnau-le-Lez.
© MA Nîmes

Le Musée archéologique
à Nîmes

Il se trouve actuellement bien à l'étroit
dans les bâtiments de l'ancien collège
des Jésuites. Il constitue un authentique conservatoire de l'épigraphie, de
la sculpture et de l'architecture antiques. Il est seulement dommage
qu'un millier d'inscriptions et qu'une
trentaine de mosaïques, fruits de
fouilles récentes, dorment toujours
dans les sous-sols et dans les dépôts
annexes.

Céramique sigillée, Musée archéologique de Nîmes,
© MA Nîmes

Milliaire d'Auguste, Musée archéologique
de Nîmes. © Jean Pey.

La *Via Domitia* sortait de l'enceinte par la porte d'Auguste qui reste le monument de ce genre le mieux conservé sur tout l'itinéraire. Elle offre deux arches centrales réservées aux chars et aux cavaliers et deux passages latéraux, deux fois moins larges, destinés aux gens de pied. Elle était autrefois cantonnée par deux tours dont l'emplacement est matérialisé sur le trottoir extérieur par un cercle pavé en noir. A l'intérieur, la porte est précédée par une cour flanquée de deux galeries. C'est au milieu de cet espace que se dresse la statue récente d'Auguste, l'empereur qui a donné ses murailles à la ville de Nîmes, comme en témoigne l'inscription dédicatoire que l'on peut lire sur l'entablement des arches.

Nîmes a toujours représenté un carrefour de voies jouant un rôle considérable. C'est là que venaient se brancher sur la Domitienne les chemins antiques menant à *Vasio*/Vaison-la-Romaine, *Alba Helviorum* en

Vivarais/Gergovie capitale des Arvernes, *Anderitum*/Javols en Gévaudan, *Segodunum*/Rodez et *Luteva*/Lodève.

Nîmes peut s'enorgueillir d'être à la fois la ville française ayant conservé le plus grand nombre de monuments romains et le plus grand nombre d'alignements de micocouliers, l'arbre

En haut
Médiathèque gallo-romaine appelée aujourd'hui Temple de Diane. © Henry Ayglon

Ci-dessus
La porte d'Auguste par laquelle on sortait de Nîmes en allant sur Arles ou sur Beaucaire.
© Henry Ayglon

87

Les arènes avec au premier plan les vestiges du rempart romain. A l'extérieur on a mis au jour l'assise d'un diverticule de la *Via Domitia* qui permettait d'éviter la traversée de la ville.

© Henry Ayglon

Les jardins et les bassins de la Fontaine de Nîmes, redessinés par l'urbaniste Mareschal au milieu du XVIIIe siècle.

© Jacques Debru

sacré des Celtes. L'origine et le développement de cette station routière ont été fixés par un site d'oppidum, le mont Cavalier, et par une source guérisseuse, la Fontaine de Nîmes. Jusqu'au début de notre ère, la voie Hérakléenne puis la voie Domitienne ont convergé vers cet ombilic mythique où avait été bâti un temple au dieu Nemausus.

Un ensemble monumental avait pris naissance aux alentours du sanc-

tuaire. Il comprenait un portique hellénistique avec un linteau celto-ligure dit « aux têtes coupées » aujourd'hui bétonné. A l'ouest, on devine, sous un gazon en pente, les gradins du théâtre gallo-romain. Enfin, seul ouvert aujourd'hui à la visite, l'énigmatique bâtiment voûté, que l'on appelle temple de Diane, préfigurait une médiathèque avec ses niches pour les statues et ses étagères pour les manuscrits.

En haut du mont Cavalier se dresse, à l'angle de deux courtines, le monument emblématique de Nîmes, la *Turris Magna*, la tour Magne. Bâtie selon un plan ellipsoïdal par les Celtes, elle a été dotée d'un chemisage octogonal en grand appareil par les Romains. Avec l'arrivée des vétérans des légions d'Auguste, la ville s'est étalée en terrain plat au pied du mont Cavalier. Le pôle culturel et économique a été centré sur un forum dont le seul édifice perpétué dans son intégralité n'est autre que la Maison carrée, dont le plan est inspiré du temple d'Apollon *in circo* à Rome.

En 16-15 av. J.-C., l'agglomération revêt une telle étendue que l'enceinte

Le musée de la Civilisation romaine : Pont du Gard

Le Pont du Gard a été construit au milieu du Ier siècle apr. J.-C. pour l'alimentation en eau de la ville de Nîmes.

Dans le cadre de l'aménagement touristique du Pont du Gard, un espace culturel a été ouvert au public en l'an 2000.

Sur une surface de 2 500 mètres carrés, le musée de la Civilisation romaine, de la Ville et de l'Eau remémore en particulier les bienfaits apportés par l'aqueduc à la Nîmes romaine : thermes, fontaines, activités artisanales...

La scénographie la plus spectaculaire restitue, grandeur nature, la construction thématique de deux arches du troisième niveau. Cette reconstitution permet de mieux se représenter les chantiers ouverts sur la Domitienne au passage des fleuves. Ainsi on perçoit mieux les analogies entre le Pont du Gard et le pont d'Ambrussum.

L'aqueduc du Pont du Gard qui amenait à Nîmes les eaux de la Fontaine d'Eure (Uzès).
© Bernard Liégeois, eppc Pont du Gard

que l'on construit s'allonge sur 7 kilomètres et occupe une superficie voisine de 200 hectares. La muraille de Nîmes a été conservée en élévation au faîte des collines de Canteduc et de Montaury où elle possède 6,50 mètres de hauteur. Des vestiges de courtines dotés chacun d'une tour circulaire ont été exhumés à l'extérieur des arènes et dans la cour de l'ancienne clinique Saint-Joseph. Le rayon d'influence de la ville romaine est attesté par la taille exceptionnelle de son amphithéâtre avec des axes de 133 mètres et de 101 mètres et une capacité de 20 000 spectateurs assis. Ces arènes seraient datées de la fin du Ier siècle apr. J.-C., leurs concepteurs ayant pris pour modèle le Colisée de Rome terminé en 80 apr. J.-C.

Au Moyen Age, l'habitat s'est resserré dans un enclos dont la ceinture de remparts et de fossés est pérennisée par les boulevards actuels (Victor-Hugo, Gambetta et Amiral-Courbet). La cathédrale Saint-Castor n'a gardé que sa façade romane dont la frise supérieure gauche s'orne de six scènes tirées de la Genèse. Tout près de là, à l'angle de la rue de la Madeleine et de la place aux Herbes, une maison romane, réhabilitée en 1999 et en 2000, témoigne de l'épanouissement de l'architecture civile au XIIe siècle. Elle a conservé au premier étage plusieurs de ses baies géminées avec leurs colonnes à chapiteaux.

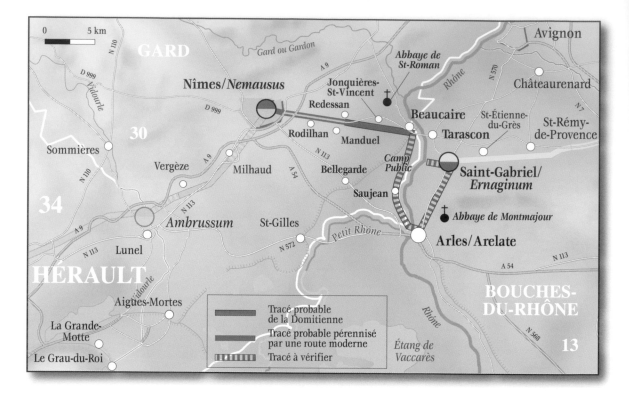

10. De Nîmes à *Ernaginum*

La *Via Domitia* quitte Nîmes par l'actuelle rue de Beaucaire prolongée après le périphérique par la route de Beaucaire. L'authenticité de ce trajet est confirmée par la multitude de sépultures et de mausolées découverts de part et d'autre de la chaussée.

De Nîmes au mas des Pins, ou de Téraube, la voie romaine est pérennisée par la D 999 pendant 11 kilomètres. Cette départementale enjambe le Vistre par un ouvrage d'art récent baptisé le pont de Quart, en souvenir du milliaire *ad quartum*. Le franchissement, 3 kilomètres plus loin, du ruisseau de Buffalon a laissé le toponyme le Ponteil.

Au giratoire de Rodilhan, la Domitienne est recoupée par la D 135 qui est l'héritière de l'ancien chemin salinier, dit des Canaux, par lequel les caravanes muletières trans-

portaient à Pont-Saint-Esprit et au-delà, le sel récolté sur les bords de l'étang de Vic-la-Gardiole. Le milliaire VII, aujourd'hui au musée de Nîmes, balisait les confins entre les diocèses d'Arles et de Nîmes. Des droits d'entrée et de sortie ont été perçus à son emplacement du Moyen Age à la Révolution. La présence de péagers explique l'appellation moqueuse de Cureboussol, c'est-à-dire Curebourse.

A partir du **mas de Téraube**, la D 999 décrit un tracé en courbe plus au nord tandis que la Domitienne garde rigoureusement la même direction. En 1734, ce trajet tiré au cordeau avait poétiquement inspiré l'érudit beaucairois de Porcelet-Maillane : *« Revenant un jour de Nîmes par le Vieux Chemin, j'observais grâce à un temps des plus sereins son parcours idéalement rectiligne. »* Le tronçon préservé de la voie antique est d'autant plus intéressant qu'on y trouve plusieurs bornes romaines *in situ*. Tout d'abord le milliaire IX, dédié à Tibère et appelé la *Peire di Novi*, la pierre des fiancés, sur la limite de Redessan et de Jonquières, le milliaire X, dédié à Auguste, au carrefour avec le chemin poissonnier dit du Devès et au XIIIe mille, les fameuses colonnes de César du Clos d'Argence. La brèche naturelle excavée dans la falaise calcaire qui domine Beaucaire a guidé les aménageurs du début du Ier siècle apr. J.-C. La faille de Roque Partide a été élargie et creusée par les Romains pour atténuer la pente entre la Costière et la plaine alluviale.

Après cette descente, la *Via Domitia* emprunte un remblai pour traverser un vallon, puis tire tout droit jusqu'au croisement des Cinq-Coins. A cet endroit précis se recoupaient deux chemins préromains, d'une part la voie Héracléenne et d'autre part le chemin reliant Arles à l'oppidum grec du Marduel qui contrôlait le franchissement du Gardon à l'aval de Remoulins. Le cinquième itinéraire antique qui venait

s'y greffer desservait le port d'*Heraklea*/Espeyran à proximité de Saint-Gilles.

A partir de ce carrefour protohistorique, l'itinéraire de l'Antiquité est difficile à cerner car, pendant 2 500 ans, le lit du Rhône a constamment changé. Le fleuve, capricieux et fantasque, n'a jamais cessé d'affouiller les berges et de déposer des alluvions. Ainsi, les îles naissaient et disparaissaient au cours des siècles, ce qui bouleversait l'emplacement des points de traversée. La présence d'une île facilitait la construction d'un pont, mais, par contre, elle constituait un obstacle à l'implantation de navettes de bacs ou de barques.

Le réseau des voies d'accès témoigne de la coexistence de trois emplacements privilégiés pour passer le Rhône. Le premier se trouvait dans le prolongement même de la voie Domitienne qui s'était perpétuée au Moyen Age dans **Beaucaire** par la Porte Vieille, la rue de la Charreterie, la rue de la Draperie-Basse et la rue des Bijoutiers. Après avoir longé le forum, l'actuelle place du Marché, la route antique aurait traversé le fleuve sur un pont de bois s'appuyant sur une île.

Près de Beaucaire, les trois milliaires appelés « colonnes de César » au lieu-dit Clos d'Argence.
© Dejan Stockic

Borne milliaire, musée de Nîmes.
© Henry Ayglon

Ce premier pont aurait été bâti aux alentours du changement d'ère. Sa destruction aurait été liée à la disparition de l'île entre le IIe et le IVe siècle apr. J.-C. Aux alentours de l'an mille, une nouvelle île, portant le nom de Jarnègue, s'était reconstituée entre Tarascon et Beaucaire. Les sénéchaux en profitèrent pour jeter sur le fleuve, le *ponto de novo facto anno 1251*/le pont de nouveau fait en l'an 1251.

Il ne faut pas croire qu'en l'absence d'un pont, tout trafic s'interrompait entre *Ugernum* et Tarascon. Des embarcations maintenaient la liaison entre les deux villes, ce qui explique que la bretelle de la Domitienne reliant directement Tarascon à Saint-Rémy par la bordure nord des Alpilles n'a jamais cessé d'être empruntée.

La deuxième liaison trans-Rhône, la moins connue mais certainement la plus fréquentée, s'effectuait entre le Champ Public et *Ernaginum*, ces deux agglomérations antiques étant localisables grâce aux églises romanes Saint-

Pierre et Saint-Gabriel. Cette traversée du Rhône en bac ou en radeau à un mille et demi au sud de Beaucaire n'est-elle pas le *Trajectum Rhodani* du quatrième vase apollinaire (14 apr. J.-C.) ? A l'appui de cette hypothèse, il faut se référer à un autre *Trajectum,* une station routière mentionnée en Gaule Belgique par l'itinéraire d'Antonin. Ce *Trajectum* a laissé son nom à la ville hollandaise d'Utrecht bâtie sur un des bras du delta du Rhin.

Le troisième point de franchissement du Rhône se situait à **Arelate/Arles**, 16 kilomètres en aval, à la pointe de la Camargue. Un pont de bateaux, représenté sur une mosaïque du port d'Ostie, y avait été construit à l'époque des Antonins (IIe siècle apr. J.-C.). Une arche en pierre s'appuyant sur la rive droite permettait le passage des navires à faible tirant d'eau.

La *Via Juliana* qui reliait le carrefour des Cinq-Coins au pont d'Arles perpétuait le chemin préromain venant de Marduel.

Le château médiéval de Beaucaire qui a succédé à l'oppidum antique d'Ugernum.
© Henry Ayglon

Le château de Tarascon sur la rive gauche du Rhône.
© Henry Ayglon

Beaucaire/*Ugernum*

On retrouve à Beaucaire le diptyque récurrent avec l'oppidum sur un site de hauteur et la ville basse au pied de l'enceinte. Du fait des transformations incessantes qu'a connues cette opulente ville de foires, le patrimoine romain a pratiquement été éliminé. Il ne subsiste plus que les bases d'un édifice public au point le plus haut de la colline.

Le patrimoine médiéval est mieux représenté. Sur l'éperon rocheux se dressent encore une chapelle romane, une tour-porte à bossages et une tour maîtresse de plan triangulaire. L'église de la ville basse, Notre-Dame des Pomiers, doit son nom au Pomoerium, la bande de terrain à l'extérieur des murailles, où, chez les Romains, il était interdit de construire. Rebâti entre 1732 et 1742, cet édifice a reçu en réemploi une frise romane historiée où se succèdent onze scènes de la Passion.

Le port fluvial de Beaucaire sur les bords du canal du Rhône à Sète. © Jacques Debru

Milliaires replantés au carrefour des Cinq-Coins. © Henry Ayglon

Saint-Gabriel était implanté à l'extrémité des Alpilles qui, depuis l'Antiquité, ont été parcourues par de nombreux chemins à la recherche d'un socle le plus ferme possible. La plaine de la rive gauche du Rhône est inondable en grande partie. Avant l'endiguement du fleuve, quantité de zones restaient marécageuses à longueur d'année. Pour pouvoir y circuler, il était indispensable d'établir les chemins sur des chaussées en remblai.

Entre **Arles** et Saint-Gabriel, la *Via Domitia* se confondait avec la route aménagée par Vipsianus Agrippa pour relier *Arelate* à *Lugdunum/*Lyon. Cette voie remontait ensuite la rive gauche du Rhône avec comme principales étapes *Avenio/*Avignon, *Aurasio/*Orange, *Valentia/*Valence et *Vigenna/*Vienne. Peut-être l'itinéraire commun d'Arles à Saint-Gabriel coupait-il directement à travers les paluds comme le fait actuellement la N 570, ou bien s'appuyait-il sur l'île de Mont-

majour pour emprunter l'itinéraire plus sûr par Fontvieille ? Peut-être ces deux tracés étaient-ils utilisés alternativement, en fonction de la saison et de la pluviosité ?

A *Ernaginum*, la voie d'Agrippa gardait une direction nord-est, pérennisée par la N 570. Le fait que celle-ci matérialise encore la limite de Tarascon et de Saint-Etienne-du-Grès plaide pour l'antiquité de cet itinéraire.

Une quatrième voie s'embranchait sur le nœud routier de Saint-Gabriel. Elle est peinte sur la Table de Peutinger et les textes anciens l'appellent tantôt *Via Aurelia*, tantôt *Via Juliana*. Elle tirait vers l'est pour aller passer la frontière avec l'Italie à La Turbie. Elle était à l'origine des stations de *Tericiae/*Mouriès, *Aquae Sextiae/*Aix-en-Provence et *Forum Julii/*Fréjus.

Arles/*Arelate*

La ville romaine d'Arelate a dû sa prospérité à ses équipements portuaires et à ses chantiers de constructions navales. Déjà florissante dans l'orbite de la Marseille grecque, elle s'est épanouie sous Jules César avec l'installation en 46 av. J.-C. des vétérans de la sixième légion.

Un tout petit peu plus grand qu'à Nîmes avec ses axes de 136 mètres et de 108 mètres, l'amphithéâtre a conservé ses deux niveaux d'arcades, ajourés chacun de soixante ouvertures en plein cintre. Les gradins entourent une arène elliptique creusée dans le rocher. Légèrement plus au sud, le théâtre antique, conçu à l'origine pour recevoir douze mille spectateurs, continue à accueillir le public pendant la saison d'été, mais sa capacité a diminué de moitié.

A l'extrémité de la rue de l'Hôtel-de-Ville, l'ancien cardo, on peut visiter les thermes romains, dits de Constantin, en hommage à l'empereur (306-337) qui résida en Arles à plusieurs reprises.

Le forum était situé au carrefour du cardo et du decumanus, ce dernier étant pérennisé par la rue Nicolai. Si tous les édifices marqueurs ont disparu, l'emplacement précis du forum est repérable grâce aux crypto-portiques au plan en U dont les galeries voûtées en berceau auraient eu pour fonction première d'étayer les fondations de l'ensemble monumental. Par la suite, ces sous-sols jouèrent le rôle de réserves pour les denrées alimentaires, comme les horrea de Narbonne.

Promu chef-lieu de diocèse vers 254 apr. J.-C., puis en 417 métropolite de quatre provinces découpées dans la Narbonnaise, Arles se présente comme une véritable capitale religieuse de la France méridionale. Le patrimoine religieux de l'Arles médiévale apparaît comme le reflet du rayonnement de ce pôle de la chrétienté où se côtoyaient depuis l'époque tardo-romaine les archevêques et les abbés de riches monastères.

Le musée de l'Arles antique

Ce magnifique bâtiment construit dans les années 1990
à l'initiative de Jean-Maurice Rouquette, conservateur émérite des
musées d'Arles et inflexible défenseur du patrimoine antique,
s'avère être digne de la renommée de la ville. Il s'inscrit à l'extrémité du cirque romain sur lequel on jouit d'une vue plongeante. Il
abrite notamment la plus importante collection française de sarcophages tardo-romains pour lesquels l'école d'Arles constitue la
référence. Une série de mosaïques mises au jour dans la vieille
ville contribuent à l'intérêt majeur de la visite.

Musée de l'Arles
antique.
© Ville d'Arles

Borne milliaire
découverte à
Trinquetaille, début
IVe siècle, Musée de
l'Arles antique.

Musée de l'Arles
antique.
© Ville d'Arles

La tour-maîtresse à mâchicoulis de l'abbaye de Montmajour.
© Henry Ayglon

teaux historiés dans les galeries est et nord du cloître ainsi que l'impressionnante tour-clocher symbolisant l'omnipotence du métropolite d'Arles.

L'abbatiale Saint-Honorat des Alyscamps a succédé à une église dédiée à saint Genest, le martyr décapité à Trinquetaille. Le cul-de-four de l'abside centrale est sous-tendu de quatre bandes plates selon un modèle toujours visible en Arles aux thermes de Constantin. La tour-lanterne érigée au-dessus de la croisée du transept veillait sur l'immense nécropole qui fut elle aussi un lieu de pèlerinage.

On retrouve, non loin de là, une abside identique à l'église Saint-Jean de Moustier qui desservait un couvent fondé par saint Césaire, un autre martyr arlésien. Une abbaye bénédictine placée sous la dédicace de Notre-Dame occupe la butte calcaire de Montmajour 5 kilomètres à l'est d'Arles. Malgré son environnement de marais, elle accueillait la foule des pèlerins pour la Croix de Mai (3 mai). Elle a conservé une église haute avec crypte, un cloître en partie roman, une autre église dédiée à saint Pierre, taillée dans le flanc sud du rocher, une chapelle à plan centré quadrifolié où étaient honorées les reliques de la sainte Croix et une tour-refuge à mâchicoulis qui rappelle les droits seigneuriaux des abbés.

L'église de Sainte-Croix à Montmajour.
© Henry Ayglon

La primatiale Saint-Trophime en représente le plus brillant exemple. Après avoir engendré son propre pèlerinage aux reliques de son fondateur, elle est devenue au XIIᵉ siècle la tête de ligne d'un des chemins de Saint-Jacques-de-Compostelle. L'afflux incessant des fidèles explique à la fois la magnificence du portail et de ses sculptures, la hauteur exceptionnelle de la nef (20 mètres), la profusion de chapi-

La nécropole des Alyscamps et son allée de sarcophages.
© Henry Ayglon

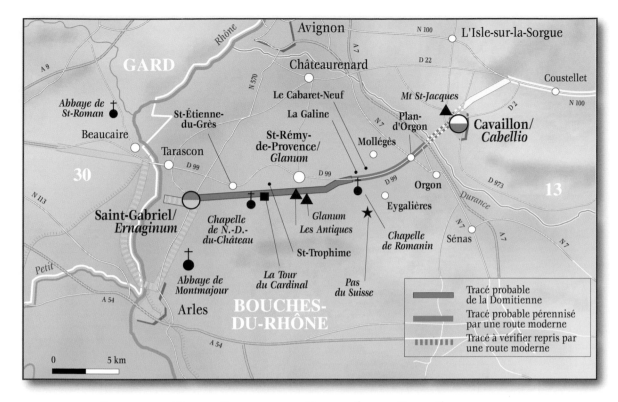

11. De Saint-Gabriel à Cavaillon

Saint-Gabriel/*Ernaginum*

Au Moyen Age, l'ancienne voie Domitienne s'est branchée directement sur le nouveau pont de Tarascon et la voie Aurélienne a coupé tout droit de Mouriès jusqu'à Arles. L'antique *Ernaginum* ainsi court-circuitée a perdu son rôle de carrefour routier et le site s'est progressivement dépeuplé. L'abandon définitif paraît remonter à la guerre de Cent Ans (1337-1453).

Au XIIe siècle, l'agglomération devait être encore suffisamment florissante pour que des clercs investissent dans la construction d'une église qui demeure aujourd'hui un des fleurons de l'art roman de la Provence.

Inspiréc par les arcades des arènes d'Arles, la façade offre une synthèse originale entre éléments architecturaux et iconographiques. Au premier niveau, la porte, inscrite dans un arc en plein cintre relativement profond, s'ouvre sous un fronton triangulaire. Le tympan juxtapose Daniel, le chrétien n'ayant jamais failli, et Adam et Eve symboles du péché. Dans cette scène apparaît un personnage rarissime, le prophète Habacuc, connu pour avoir ravitaillé Daniel à travers la dalle de la fosse aux lions, geste qui évoque l'Eucharistie.

Dans l'angle du fronton inférieur, une frise représente l'Annonciation avec des personnages alignés sous

des arcades à colonnettes torsadées. L'ange Gabriel et la Vierge ont droit à un cadre distinct tandis que sainte Marie-Salomé et sainte Elisabeth, tendrement enlacées, sont réunies dans le troisième espace.

Au deuxième niveau, un oculus majestueux s'ouvre dans le mur pignon de la façade. Tout comme celui de l'escalier en vis de Saint-Gilles, il annonce les rosaces gothiques. Le tore intérieur et la doucine extérieure de l'oculus de Saint-Gabriel sont savamment sculptés d'*acantha mollis*. Ces deux registres concentriques entourent une gorge où alter-

La façade à double registre de l'église Saint-Gabriel.
© Pierre-Albert Clément

En haut à droite: **frise de l'Annonciation.**
© Pierre-Albert Clément

Dessous :
Tympan où sont représentés Daniel ainsi qu'Adam et Eve.
© Pierre-Albert Clément

Un riche homme d'affaires

Dans la nef de l'église de Saint-Gabriel, on peut voir un très beau cippe en marbre blanc dédié à Marcus Frontonius Euport par sa veuve Julia Nice. Les titres élogieux du défunt le font apparaître comme le grand maître des transports par eau de toute la province :
— Curateur (président) des armateurs maritimes d'Arles ;
— Patron de la corporation des nautes (bateliers) de la Durance ;
— Patron de la corporation des utriculaires (passeurs) d'Ernaginum.
Ce sont certainement toutes ses responsabilités au plus haut niveau qui avaient valu à Frontonius d'avoir été choisi comme sévir augustal, c'est-à-dire de figurer au rang des six personnages éminents auxquels était confié le culte d'Auguste à Aquae Sextiae (Aix).

nent des rosettes et dix masques humains tantôt barbus, tantôt imberbes. Cette église insolite, la plus représentative de l'art roman éclos au long de la Domitienne, doit être visitée l'après-midi aux heures où le soleil illumine sa façade.

En partant d'*Ernaginum*, la Domitienne suivait la lisière nord-est des Alpilles comme le fait encore de nos jours la D 32 dont elle se sépare à l'entrée de Saint-Etienne-du-Grès, elle parvenait au *trivium* où s'embranchait la bretelle correspondant au passage du Rhône entre Tarascon et Beaucaire. Cette variante qui recoupait la voie d'Agrippa à L'Aurade est maintenant pérennisée par la D 99. Elle est parfaitement identifiable au sud du village où son emprise est reconnaissable dans le chemin des cigales et le chemin Mireille.

La *Via Domitia*, toujours orientée ouest-est, fait ensuite, pendant 2 kilomètres, la limite sud de la commune du Mas-Blanc des Alpilles. Arrivée dans le territoire de Saint-Rémy-de-Provence, elle porte au cadastre le nom d'« Ancien Chemin d'Arles ». Elle parvient ainsi à son croisement avec la bretelle qui reliait Mouriès à Avignon. Celle-ci pérennisée par la D 51 passait 2 kilomètres plus au sud sous l'arc de triomphe des Antiques. Après ce carrefour, la Domitienne s'infléchit vers le nord-est. Elle est repérable grâce aux panneaux « Ancienne Voie Aurélienne » qu'une association de bonne volonté a fait poser en confondant à tort *Via Domitia* et *Via Aurelia*.

A partir du lieu-dit la Galine, la route antique en direction du Mont-Genèvre est reprise par la D 99. Celle-ci n'est autre que la voie antique et médiévale qui passait par l'Aurade et qui rejoignait directement Tarascon. L'hôtel-restaurant de la Galine, implanté sur le *trivium* romain, perpétue peut-être une auberge multiséculaire où une poule (*galino* en provençal) pendait pour enseigne.

L'église Saint-Gabriel inondée de soleil.
© Pierre-Albert Clément

L'hypothèse de l'identité entre Domitienne et N 99 se vérifie quand on constate qu'elles font la séparation du Mollégès et d'Eygalières à partir du mas de l'Espine.

A l'endroit de leur embranchement avec l'actuelle D 73e, N 99 et *Via Domitia*, toujours confondues, prennent une orientation sud-ouest/nord-est. Entre ce carrefour et la Durance, ce segment de 9 kilomètres de long qui coupe la N 7 à Plan-d'Orgon, se distingue par son tracé rectiligne. L'explication saute aux yeux quand on roule en direction des Alpilles. Les arpenteurs romains ont visé la mire naturelle que représente la profonde échancrure du pas du Suisse.

Mausolée et arc de triomphe gallo-romains au lieu-dit les Antiques à Saint-Rémy-de-Provence. © Jacques Debru

Saint-Rémy/*Glanum*

Ville sainte des Salyens qui y honoraient une source vauclu-sienne placée sous la protection des déesses glaniques, l'ag-glomération préromaine de *Glanum* s'étirait le long d'un étroit vallon. Les fouilles conduites sur le site ont mis au jour des édifices celto-ligures, des niveaux hellénisés et des bâtiments publics augustéens.

Bien que *Glanum* soit mentionnée sur tous les Itinéraires, elle était distante de plus d'un mille de la *Via Domitia*.

A la fin du IIIe siècle apr. J.-C., les habitants de la ville primitive abandonnèrent leurs maisons pour se regrouper au nord sur

Mausolée des Julii (vers 30 av. J.-C.) à Saint-Rémy-de-Provence. © Henry Ayglon

Panneau du mausolée avec amazones et cavaliers. © Henry Ayglon

Glanum : restitution d'un édifice public . © Jacques Debru

Glanum : colonnes cannelées. © Henry Ayglon

un lieu de plaine qui devait devenir la Saint-Rémy médiévale. Entre les deux sites subsistent toujours deux monuments romains en élévation, connus sous le nom des Antiques de Saint-Rémy. L'arc de triomphe daté du tout début de notre ère est remarquable par ses piédroits qui sont décorés de scènes sculptées illustrant la conquête des Gaules par Jules César. Le mausolée des Julii édifié vers 30 av. J.-C. comporte trois registres distincts : un socle carré avec des reliefs sculptés, une réplique d'arc de triomphe à quatre entrées et une colonne portant les effigies des deux défunts. Les panneaux du premier niveau représentent une chasse aux sangliers et trois séries de combats opposant des amazones, des cavaliers et, enfin des fantassins.

A proximité s'élève le couvent augustinien de Saint-Paul-de-Mausole avec son église de plan classique en croix latine. Un clocher monumental, artistiquement décoré avec en parti-culier un cordon de losanges, est implanté sur le sud de la nef. Les galeries sud et ouest du cloître offrent une séquence de chapiteaux historiés où l'on décèle l'influence des modè-les de Saint-Trophime.

Ne sommes-nous pas, par la Domitienne, à seulement XIV milles (20 kilomètres) d'Arles ?

Arc caissonné de l'arc
de triomphe de Cavaillon.
© Pierre-Albert Clément

L'antiquité de cet itinéraire
est confirmée par la constatation que
la N 99 sert encore de limite sur
2 kilomètres entre les communes de
Mollégès et de Plan-d'Orgon. Avant
d'atteindre la Durance, chemin
romain et route contemporaine ont
disparu, victimes des engins de ter-
rassement qui ont déplacé des dizai-
nes de milliers de mètres cubes de
terre lors de la confection des rem-
blais de l'autoroute A 9 et de la ligne
TGV Méditerranée.

Arc de triomphe
romain à quatre
entrées remonté
place du Clos.
© Pierre-Albert Clément

Dans
sa *Géogra-
phie* (IV, 1,11),
Strabon men-
tionne que la
Durance était pas-
sée grâce à un bac. Il n'y
a rien de surprenant au
fait que les Romains n'aient
pas tenté de construire un
pont. La rivière s'étale là sur
300 mètres de large. L'investissement
dans un ouvrage d'art aurait été très
onéreux, alors qu'en période de basses
eaux, cavaliers et muletiers pouvaient
traverser à gué. On localise l'embarcadère sud au site de Capeau et l'embarcadère nord au quartier poétiquement
appelé le « Temps perdu », peut-être
parce qu'il fallait y patienter plusieurs
jours lorsque la Durance était en crue.
C'est d'ailleurs l'aménagement de la
voie Domitienne qui a certainement
incité les habitants de l'oppidum
cavare perché sur la colline Saint-Jacques à venir s'établir tout au long de la
route romaine. Les profits tirés du trafic des marchandises et de l'héberge-
ment des voyageurs expliquent que
l'agglomération se soit développée de
part et d'autre de la *Via Domitia* utilisée comme *cardo*. Cet axe millénaire
nous est parvenu sous l'appellation
médiévale de « Grand-Rue ».

Les nombreux tombeaux et mausolées de l'époque impériale qui jalonnent la voie antique à la sortie nord attestent l'authenticité de ce tracé.

Cavaillon/*Cabellio*

L'activité économique de *Cabellio* ressort également de ses fonctions de port fluvial et de ville frontière à la limite de l'ethnie celte des Cavares et de l'ethnie celto-ligure des Salyens. Sous le Haut-Empire, le territoire des Cavares fut subdivisé en trois *civitates*, Avignon, Orange et Cavaillon. Ces trois villes devinrent chefs-lieux de diocèses vers la fin du IVe siècle apr. J.-C., ce qui explique la prospérité de *Cabellio* au haut Moyen Age.

De la ville romaine il ne reste plus qu'un arc de triomphe à quatre entrées que l'on suppose avoir été édifié au début de notre ère, au croisement du *cardo* et du *decumanus*, c'est-à-dire au centre du forum. Démonté sous Napoléon Ier parce qu'il paralysait la circulation dans la Grand-Rue, il a été remonté partiellement sur la place du Clos pendant les années 1880. Il est remarquable par sa décoration avec ses caissons sculptés sous les arcades et avec ses rinceaux ponctués de fleurs, d'oiseaux et de papillons. Ces motifs ornementaux paraissent avoir inspiré les compagnons qui ont participé au chantier de la cathédrale Notre-Dame et de son cloître dans la seconde moitié du XIIe siècle.

L'entablement à l'antique des murs extérieurs de la nef confirme cette hypothèse. Au nord la frise est faite de panneaux juxtaposés offrant des thèmes très éclectiques tels que feuillages et animaux ou encore une Eve au serpent et un joueur de flûte. Au sud, au-dessus du cloître, un large bandeau d'acanthes atteste du savoir-faire des intervenants.

Les modèles romains ont aussi influencé l'ordonnancement de l'abside pentagonale qui n'est pas sans rappeler Saint-Jacques de Béziers. Ce chevet est scandé de cinq grandes arcades aveugles séparées par des demi-colonnes engagées qui se terminent par des chapiteaux corinthiens. La corniche en avancée repose sur des modillons antiquisants.

La tour-clocher fondée sur la croisée du transept comporte un premier étage octogonal dont les demi-colonnes sont identiques à celles de l'abside. Au-dessus, on remarque un attique visiblement imité du couronnement de l'amphithéâtre d'Arles. Les témoins de l'Antiquité retrouvés à l'occasion de fouilles sont exposés au Musée lapidaire qui occupe l'ancienne chapelle de l'hôtel-Dieu.

Décor d'oves et de rais de cœur.
© Pierre-Albert Clément

Abside pentagonale de la cathédrale Notre-Dame de Cavaillon.
© Pierre-Albert Clément

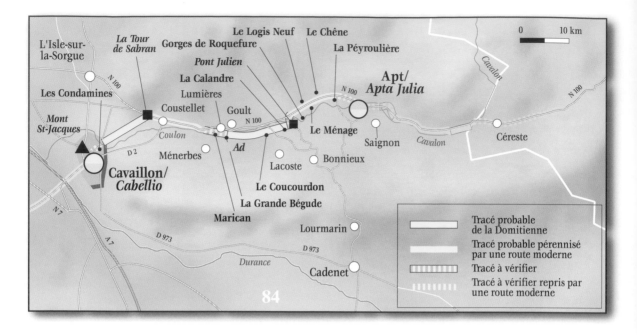

12. De Cavaillon à Apt

Alors qu'on pourrait penser que les ingénieurs romains auraient dû être tentés de suivre la vallée de la Durance à partir de Cavaillon, ce n'est qu'au niveau de Lurs, 15 kilomètres au nord de Manosque, que la *Via Domitia* commence à remonter le long cours de la rivière. Ensuite, elle ne la quitte pratiquement plus jusqu'à sa source, c'est-à-dire jusqu'au Mont-Genèvre.

De Cavaillon à Peyruis, les Romains ont préféré un itinéraire plus court d'une dizaine de milles. Jusqu'au col des Granons ils ont aménagé une très vieille piste qui suit la vallée que le Calavon et l'Encrème ont creusée entre les Alpilles et les monts du Vaucluse.

La voie Domitienne quittait *Cabellio* par le nord et franchissait une première fois le Calavon. Pendant 7 kilomètres, elle peut être suivie tant à pied qu'en voiture car elle est encore utilisée comme chemin vici-

nal. Elle sert de limite entre Lagnes et Robion pendant les 1 500 mètres qui séparent le Château Neuf du carrefour protohistorique appelé la Tour de Sabran depuis l'époque médiévale. C'est là que se branchaient sur la *Via Domitia* le chemin vers Avignon, l'actuelle D 22 et le chemin vers L'Isle-sur-la-Sorgue et Carpentras, l'actuelle N 100.

Ce *quadrivium* a servi de sommet de triangulation lors de la confection du cadastre romain, ce qui lui a valu, au Moyen Age, de devenir le point de rencontre du marquisat de Provence, au nord-ouest, du marquisat de Forcalquier au nord-est et du comté de Provence au sud.

De la Tour de Sabran jusqu'à Lumières, la Domitienne paraît avoir servi d'assise à la N 100, en particulier sur les 4 kilomètres où la route moderne marque la séparation entre Cabrières-d'Avignon au nord et Oppède puis Ménerbes au sud.

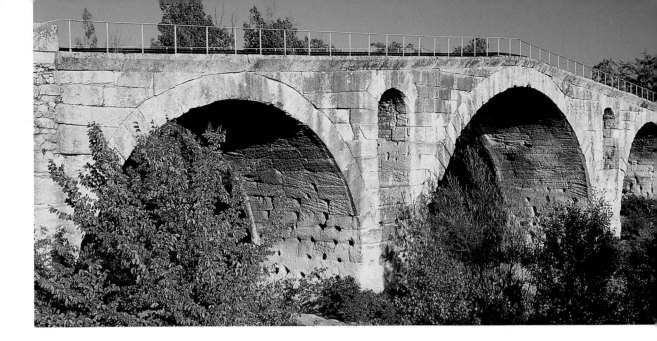

A cause des divagations du Calavon, il est difficile de repérer le site où la *Via Domitia* retraversait la rivière. On peut vraisemblablement localiser l'ancien gué au droit de l'église Notre-Dame de Lumières car 500 mètres plus au sud la voie antique s'identifie avec la D 218. Nous sommes là dans la plaine de Marican où l'on a retrouvé le milliaire d'Auguste, aujourd'hui exposé à la maison de village de Goult. On situe dans ce secteur le relais routier d'*Ad Fines* que les itinéraires donnent comme distant de XII milles de *Cabellio* et de X milles d'*Apta Julia*.

Après avoir croisé la D 106, la Domitienne que le cadastre appelle le *cami roumieu* sert toujours de chemin rural durant 6 kilomètres. Sur ses bords la *Grande Bégude* et la *Bégude* rappellent qu'elle a été très fréquentée au Moyen Age. Elle repasse ensuite sur la rive droite du Calavon grâce à un ouvrage d'art en dos d'âne construit au Iᵉʳ siècle apr. J.-C.

Le pont Julien

L'illustre pont Julien est si admirablement conservé qu'il a été emprunté par les semi-remorques jusqu'en 2005, année de la mise en service du pont en béton édifié 50 mètres en amont.

Cet ouvrage d'art doit sa longévité d'une part à la solidité de sa construction et d'autre part à l'entretien dont il a fait l'objet pendant vingt siècles, n'ayant jamais cessé d'être utilisé.

Pont Julien.
© Jacques Debru

Pont Julien.
© Henry Ayglon

Profil du Pont Julien

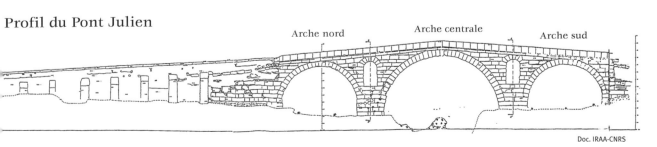

Arche nord Arche centrale Arche sud

Doc. IRAA-CNRS

Pile avec dégorgeoir.
© Pierre-Albert Clément

tauration de la Domitienne dans ce secteur se situant aux alentours de 3 apr. J.-C.

Le pont Julien, tel que nous le connaissons, se rapproche davantage de l'orientation nord-sud que son prédécesseur. En incluant la culée sud, aujourd'hui masquée par la D 149 reliant Bonnieux et Roussillon, la longueur totale de l'ouvrage atteint 80 mètres. Le profil caractéristique en dos d'âne avait pour fonction de faciliter l'écoulement des plus fortes crues. L'arche centrale est plus élevée (16,20 mètres) que l'arche nord (10,17 mètres) et l'arche sud (10,23 mètres). Les deux piles, légèrement trapézoïdales, sont pourvues d'avant-becs semi-circulaires dont plusieurs assises ont été dérobées au fil des temps. Les dégorgeoirs, voûtés en petit appareil, possèdent une hauteur de 3,40 mètres.

Une des originalités du pont Julien est offerte par les longs blocs qui composent les corniches en encorbellement de part et d'autre du tablier. La saillie à l'extérieur supportait le parapet aujourd'hui disparu. Cet agencement conservait à la chaussée toute sa largeur utile (4,25 mètres), permettant ainsi le croisement de deux véhicules. A l'exception des culées, l'ouvrage est bâti en pierres calcaires de grand appareil extraites dans les carrières du très proche Luberon. La face externe de ces moellons est parfois taillée « en bossage », seuls les liserés étant soigneusement ciselés. Il faut voir dans ce procédé davantage le souci de gagner du temps dans l'avancement du chantier plutôt que la volonté d'économiser sur le coût de la main-d'œuvre.

Le visiteur est également intrigué par la présence insolite de nombreux trous forés maladroitement soit à la naissance de la voûte des arches, soit à la jonction des claveaux de l'archivolte et des blocs extradossés. A une époque plus ou moins lointaine, des récupérateurs

Des fouilles conduites en 1997 et 1999 ont confirmé l'existence d'un pont plus ancien qui remonterait au premier aménagement de la *Via Domitia*, c'est-à-dire vers 120 av. J.-C. On a retrouvé la première assise de deux piles de 8,60 x 2,90 mètres, distantes d'axe en axe de 23,60 mètres. Cet écartement laisse supposer que le tablier de cet ouvrage reposait sur des poutres en bois allant d'une pile à l'autre. La version actuelle doit être datée, comme à *Ambrussum,* du début de notre ère, le chantier de res-

Parapet en encorbellement.
© Pierre-Albert Clément

de métaux non ferreux ont taraudé ces moellons pour retirer le plomb qui avait été utilisé à la confection des scellements, sans compromettre toutefois la solidité de la maçonnerie. Il est à noter que l'orientation de la Domitienne était perpendiculaire à l'axe du pont. Elle l'abordait donc selon un tracé dit en « baïonnette ».

L'année 2005 a vu la mise en service d'un nouveau pont routier à une seule pile bâti 50 mètres en amont. Dorénavant, le pont Julien ne peut plus être emprunté que par les marcheurs et les cyclistes, ce qui paraît lui assurer un nouveau bail de 2 000 ans de plus. Un projet d'aménagement du site se met en place avec une aire d'accueil au sud-est et avec la reprise des fouilles de l'agglomération médiévale qui s'était implantée là pour surveiller le passage et héberger les voyageurs.

Nous sommes là au débouché des pittoresques gorges de Roquefure. Celles-ci étaient trop étroites pour qu'une route puisse s'y engager. Le chemin romain s'orientait donc vers le nord-est dès sa sortie du pont Julien. Là encore la *Via Domitia* semble avoir été pérennisé par la N 100. Cette hypothèse est renforcée :

Trous forés au Moyen Age pour récupérer le plomb ayant servi au scellement.
© Pierre-Albert Clément

— par la découverte en 1860 d'une borne milliaire de 3 apr. J.-C. au hameau du Chêne ;

— par le fait que la route délimite sur 3 kilomètres Roussillon et Bonnieux ;

— par la présence du relais médiéval du *Logis Neuf*.

N 100 et Domitienne se confondent jusqu'à 2 kilomètres avant *Apta Julia*/Apt, ville fondée vers 45-30 av. J.-C. pour contrôler les

La rue Saint-Pierre qui pérennise le decumanus d'Apta Julia. © Ville d'Apt

Le Calavon.
© Pierre-Albert Clément

L'expansion en surface de la ville a été limitée par l'étroitesse de la vallée du Calavon. Aussi l'habitat médiéval puis l'habitat moderne se sont-ils enchevêtrés. La ville antique se trouve maintenant à 4 ou 5 mètres au-dessous du niveau du sol contemporain.

Pour avoir accès au seul édifice romain dégagé en sous-sol, il faut pénétrer dans le musée archéologique qui occupe un hôtel particulier du siècle des Lumières. Ce bâtiment a été construit sur les vestiges d'un théâtre du Iᵉʳ siècle apr. J.-C. dont on peut voir une galerie et les couloirs la reliant à la *cavea*. Aux étages du musée ont été réunies une série d'inscriptions, des mosaïques et des sculptures gallo-romaines.

Le patrimoine monumental médiéval a lui aussi fortement souffert du manque d'espace. Il se limite aux parties les plus anciennes de la cathédrale Sainte-Anne. Un petit caveau voûté décoré d'entrelacs paraît être le dernier témoin d'une basilique carolingienne qui aurait été construite à l'emplacement d'un édifice public jouxtant l'ancien forum.

La crypte supérieure qui a été bâtie au-dessus de l'oratoire est contemporaine de l'église du XIIᵉ siècle. Elle se présente comme une chapelle à deux travées et à abside semi-circulaire. L'existence d'un déambulatoire suggère qu'elle accueillait des pèlerinages. Les reliques qui y étaient exposées auraient été celles de sainte Anne, la grand-mère du Christ, de saint Auspice, le supposé premier évêque d'Apt, et de saint Castor, le compagnon de saint Cassien, le fondateur de Saint-Victor de Marseille.

La croisée du transept de la cathédrale a été épargnée au cours des remaniements successifs. Sa coupole octogonale sur trompes s'inscrit dans l'orthodoxie de l'art roman provençal.

allées et venues entre le Rhône et les Alpes.

L'urbanisation gallo-romaine s'est alignée sur la *Via Domitia* qui a été utilisée comme *decumanus*. Celui-ci est resté l'axe majeur de la ville. Il nous est parvenu sous le nom de rue des Marchands, place du Postel, l'ancien pilori médiéval, et de rue Saint-Pierre.

Apt / *Apta Julia*

Apt est le prototype d'agglomération née pour et par la *Via Domitia*. L'oppidum celto-ligure de Perreal en était situé à 8 kilomètres au nord.

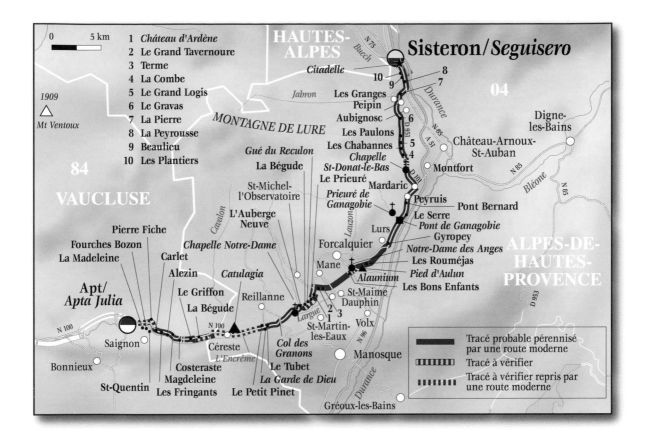

13. D'Apt à Sisteron

En sortant d'Apt, la *Via Domitia*, qui est repassée sur la rive gauche du Calavon, traverse le faubourg de la Madeleine où elle est bordée de tombeaux. Là encore, elle sert d'assise à la N 100. Elle est à nouveau repérable peu après la limite entre Apt et Saignon. Elle est ainsi identifiable au quartier de Pierrefiche qui se trouve à mi-distance entre la rivière et la nationale. Ce mégalithe semble avoir été plutôt un terme qu'un milliaire. Le lieu n'est-il pas appelé aussi les *fourches de Bozon* en souvenir des potences que le roi de Bourgogne-Provence (879-887) aurait fait dresser à la frontière de son territoire ?

A partir de l'embranchement avec la D 209, le chemin romain est pérennisé tout d'abord par la voie de chemin de fer durant 1 000 mètres, puis par la N 100. Aux Fringants, il enjambait une nouvelle fois le Calavon sur un pont dont les vestiges ont disparu. Là aussi, la nationale reprend le tracé de la voie antique dont l'utilisation au Moyen Age est suggérée par une nouvelle *Madeleine* et par le *Griffon,* nom qui rappelle soit une fontaine, soit une enseigne d'auberge. Un kilomètre avant la *Bégude*, la Domitienne réapparaît sous la forme d'un tracé fossile en remblai qui tangente la route contemporaine jusqu'à sa rencontre

Tête de jeune fille trouvée sur le site de Notre-Dame-des-Anges à Lurs. (Collection Musée Forcalquier).
© Atelier photographique, Forcalquier

démarrage des travaux d'élargissement de la N 100 des fouilles ont permis de mettre au jour, à 1,50 mètre de profondeur, un tronçon dallé de la voie antique. Bien mieux, un sondage effectué en août 2004 a confirmé que des maisons, datables du Ier au IVe siècle apr. J.-C., s'alignaient de part et d'autre de la chaussée.

Ces vestiges laissent augurer que l'on a enfin localisé la station de *Catuaica* des Itinéraires. Les historiens se doutaient qu'elle était située aux abords de Céreste, mais jusqu'à maintenant aucun vestige probant n'avait pu être décelé. Cette découverte du site de l'ancienne *Catuaica* concorde avec la distance de XII milles par rapport à Apt qui est donnée à la fois par la Table de Peutinger et par les gobelets de Vicarello.

Par La Garde-de-Dieu et la Tubet, la *Via Domitia* remonte ensuite en pente douce vers le col des Granons (altitude : 490 mètres). Sur cette section, elle commence à être appelée « *cami seinet* », c'est-à-dire « chemin ancien ». L'adjectif *seinet* peut dériver soit du celte *senos*, soit du latin *senex* qui tous les deux signifient « vieux ». En ce qui concerne Granons, il s'agirait d'une contraction de *Grannus*, un dieu gaulois, et de *ona,* la fontaine.

Le col s'inscrit dans une échancrure entaillée sur la ligne de faîte qui sépare les bassins versants du Calavon et du Largue. D'après Strabon, cette crête fixait les limites de l'ethnie des Albicis (Apt) et de l'ethnie des Voconces (Vaison et Luc-en-Diois).

Le gué du Reculon

La Domitienne confondue avec la N 100 tire ensuite tout droit sur Notre-Dame-du-Pont, puis elle vient passer à l'Auberge neuve et à la Bégude. Elle reprend alors son tracé d'origine pour descendre franchir le Reculon grâce au seul gué aménagé d'époque romaine encore en place entre les Pyrénées et les Alpes. Situé à la limite

avec la D 33. Deux kilomètres au nord-est de ce croisement, la voie romaine franchit une dernière fois le Calavon pour s'engager dans la vallée de l'Encrème. Cet affluent tient son nom du grec *Kréné* qui signifie la source.

Les environs de Céreste

Il faut parvenir à Céreste (altitude : 357 mètres) pour retrouver le tracé probable de la *Via Domitia* qui y a été repris par l'avenue des Plantiers, la rue de la Bourgade et l'avenue de la Romane. A moins d'un kilomètre, le tracé de la Domitienne est confirmé par l'identification des substructions d'un pont romain à deux arches, mesurant 44 mètres de long.

En 1999 et en 2000, une série de violents orages a en effet dégagé au fond du lit de l'Aiguebelle une large semelle constituée de blocs de grand appareil sur lesquels s'appuyaient la pile centrale et les deux culées. C'est à la sortie de ce pont, qu'avant le

de Lincel et de Saint-Michel-de-l'Ob-
servatoire, ce passage pavé facilitait
la traversée d'un affluent du Largue.
La construction de ce genre de chaussée avait pour but d'étaler en largeur
le débit des petites rivières afin que
les hommes, les bêtes et les chariots
puissent aller et venir sans encombre
en toute saison.

Les Romains avaient choisi de traverser le lit du Reculon en diagonale
afin d'obtenir un déploiement des
crues sur la plus grande superficie
possible. Ils avaient construit un véritable barrage-voûte de 3,20 mètres de
haut dont le profil convexe a permis
au mur de soutènement de résister
pendant près de deux millénaires à la
pression de la terre et de l'eau.

Le barrage-voûte du gué du Reculon. © Alpes de Lumière

Le chantier de fouilles avec l'équipe d'Alpes de Lumière.
© Alpes de Lumière

La végétation reprend le dessus.
© Pierre-Albert Clément

Le pont de Ganagobie, vu par l'amont.

© Pierre-Albert Clément

La Domitienne remonte alors vers le prieuré d'Ardène puis vers le croisement avec la D 5, où la N 100 l'abandonne définitivement pour aller passer à Forcalquier comme le faisait la route royale. Pour sa part, la *Via Domitia* traverse en droite ligne la vaste plaine de Mane dont elle constitue le *decumanus* de la centuriation.

La pierre plantée au nord du mas du grand *Tavernoure* peut être considérée soit comme un terme car elle est à la limite de trois communes, soit comme une borne milliaire sans inscription, qui aurait fixé une croisée de chemins.

Le pont de Ganagobie

Sous le nom de *cami seinet*, la Domitienne qui fait la limite entre Mane et Saint-Maime recoupe la D 216 et vient passer au nord des Potences puis aux Bons-Enfants. Elle pénètre ensuite sur le site du relais routier d'*Alaunium* que les historiens s'accordent à localiser dans le voisinage de l'église de Notre-Dame-des-Anges qui, au XIIe siècle, s'appelait Notre-Dame d'Aulun. A partir de Giropey où elle se confond avec la N 96, la *Via Domitia* passe au-dessus de la Durance en utilisant une terrasse alluvionnaire qui sépare la rivière des collines de Lurs. Son itinéraire est confirmé par la présence d'un pont romain enjambant le Buès, dont l'étroite gorge sépare la montagne de Lure et la colline de Ganagobie.

La plupart des automobilistes qui l'utilisent encore pour aller par la route de Lurs à Peyruis ignorent que cet ouvrage d'art était déjà emprunté par les usagers de la *Via Domitia*. La chaussée bitumée de 5 mètres de large et les parapets récents lui donnent en effet l'apparence d'une construction contemporaine.

Si l'on veut vérifier l'antiquité du pont de Ganagobie, il faut garer sa voiture à proximité et descendre une dizaine de mètres en contrebas. Depuis l'amont, on a une vision précise de l'arche unique de 7 mètres de

L'assise supérieure du barrage est constituée par trente-quatre blocs de calcaire parfaitement jointés. Ils étaient juxtaposés dans le sens de la longueur, offrant ainsi une bande de circulation de un mètre, accessible aux piétons. Mulets, chevaux et chariots traversaient juste en amont grâce à une chaussée caladée de 7 à 8 mètres de large et de 25 mètres de long qui disparaît aujourd'hui sous 80 centimètres d'alluvions. Le gué du Reculon a continué d'être emprunté par la route royale de Montpellier à Coni jusqu'en 1845, date à laquelle a été mis en service le chemin de roulage pérennisé aujourd'hui par la N 100.

hauteur sous clef et de 6 mètres d'ouverture qui permettait d'écouler les fortes crues du Buès. Au lieu d'un seul rang de claveaux comme à *Ambrussum* ou à Bonnieux, l'archivolte plein cintre offre deux rangs de voussoirs superposés en moyen appareil. Toutefois, seuls les départs de l'arc du dessus sont encore repérables, car le tablier a connu de nombreuses restaurations au long des siècles. Les moellons en petit appareil qui parementent la façade de l'arche ont été néanmoins conservés jusqu'aux deux tiers de la hauteur.

En passant du côté aval, on peut admirer les deux robustes culées qui jouaient à la fois le rôle de pile et le rôle de rampe d'accès. La culée nord, assise en corniche sur la colline au sommet de laquelle a été fondé le prieuré de Ganagobie, décrit un virage à 115° pour aborder le tablier. Elle est remarquable par ses assises inférieures élevées en grand appareil pseudo-isodome. La culée sud, implantée sur le flanc nord du bois de Lurs, fait un angle obtus de 155° avec la chaussée du pont. La base du piédroit offre une série de bossages aussi bien pour les blocs de grand

appareil que pour les moellons de moyen appareil.

Horizontalement, l'ensemble de l'ouvrage se présente donc avec un dessin en U dont le pont constituerait la base. Cette solution demeure excessivement rare aussi bien chez les Romains qu'à l'époque actuelle. Guy Barruol et Pierre Martel ont daté du règne d'Hadrien (117-138 apr. J.-C.) la construction du pont de Ganagobie par analogie avec toute une série de ponts des environs de Savone et de Finale-Ligure attribués à ce même empereur.

Plus au nord, la voie antique qui est à nouveau pérennisée par la N 96 passe successivement à Serres et à Peyruis. Arrivée au carrefour de Merdaric, elle est reprise par la D 101 qui la quitte au pied de l'église de Saint-Donat-le-Bas. La Domitienne s'engage alors dans le ravin du Bouy en restant parallèle à l'actuelle D 801. Entre Combes et Les Chabannes elle a laissé un pont à une seule arche, qui rappelle, en plus dégradé, le pont de Ganagobie.

A partir du *Grand Logis*, la voie romaine sert d'assise à la D 951 et marque la limite de Montfort avec Aubignosc depuis les Paulons jusqu'au Gravas. Avant de franchir le Jabron, un peu plus à l'ouest que la route moderne, elle est jalonnée par deux établissements médiévaux : tout d'abord sur la D 95, la *Pierre* dont le nom désigne souvent un relais muletier et plus loin sur la N 85, un second *Bons Enfants*.

Seguistero/Sisteron

La ville étape de *Seguistero*/Sisteron (altitude : 463 mètres) s'était implantée sur la rive droite de la Durance, immédiatement au sud de son confluent avec le Buëch. Cet oppidum préromain verrouillait solidement la cluse dominée à l'ouest par le piton

La citadelle construite sur l'emplacement de l'oppidum.
© Alain Gas

escarpé où a été édifiée la citadelle moderne et, à l'est, par la falaise abrupte de la Baume. A l'endroit le plus resserré, les Romains avaient élevé un pont par lequel arrivait la route de *Foro Julii*/Fréjus dont la Table de Peutinger donne les stations routières, à savoir *Foro Voconii*/les Blaïs, *Anteae*/près de Draguignan et *Reis*.

Au 1er siècle av. J.-C., les habitants de l'oppidum de *Seguistero* choisirent de descendre un peu plus bas pour occuper la terrasse alluviale qui s'ins-

crit légèrement au-dessus de la Durance. La localisation de la ville basse n'a jamais été établie avec certitude, d'autant plus que les bombardements de l'été 1944 ont causé des dommages irréversibles. On peut toutefois extrapoler pour essayer de reconstituer le périmètre des murailles de l'agglomération romaine. Sur le cadastre napoléonien de Sisteron, l'enceinte des XIe et XIIe siècles est délimitée par le passage du Portail, la rue Posterle, la rue de la Mercerie, et la rue du Rieu, ce ruisseau suivant certainement le fossé creusé le long du rempart sud.

La ville médiévale s'étendait donc de part et d'autre de son axe ouest-est, la rue droite qui pérennise le *decumanus* entre l'emplacement des deux portes principales qui auraient succédé aux deux portes romaines. L'hypothèse séduisante d'une superposition de l'habitat médiéval et de l'habitat antique devra pourtant être vérifiée par des fouilles.

Vue générale.
© Alain Gas

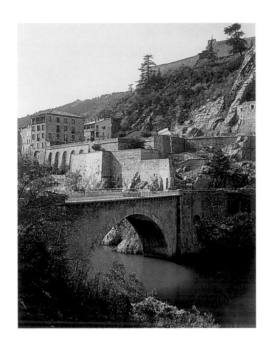

La Durance à Sisteron.
© A. Vondra

caire au pied du rempart romain puis médiéval, a pris le relais d'une nécropole antique qui bordait la *Via Domitia*. La basilique à trois nefs juxtaposées s'ouvre sur la façade par un portail monumental à appareil polychrome avec des chapiteaux sculptés d'animaux fabuleux. La dernière travée est surmontée d'une coupole octogonale ceinturée à l'extérieur par une galerie à colonnettes.

La liaison directe avec le littoral méditerranéen faisait de Sisteron un important carrefour stratégique qui était complété par une autre voie romaine attestée par des bornes milliaires. Elle venait de *Cularo*/Grenoble, gravissait le col de Luz la Croix-Haute et en descendait par la vallée du Buëch, puis après Sisteron, continuait vers Digne, Senez, Castellane, Vence et Cimiez (Nice).

Sur l'itinéraire de la *Via Domitia* entre Apt et Sisteron, la continuité du trafic au Moyen Age est attestée par le chapelet de prieurés bénédictins que la riche abbaye de Saint-André de Villeneuve-lès-Avignon avait fondés ou récupérés, à savoir Saint-Sauveur de Céreste, Notre-Dame de Niozelles, Peyruis, Saint-Donat-le-Bas et Saint-Martin de Peipin.

Au XIVe siècle, le noyau urbain s'élargit vers le nord-est, entraînant l'ouverture de la porte du Dauphiné à l'extrémité de la rue de la Saunerie. Il s'étendit également au sud-est ainsi qu'en témoigne l'alignement de quatre tours rondes en élévation qui flanquaient la courtine aujourd'hui disparue. La cathédrale Notre-Dame-des-Pomiers, bâtie comme à Beau-

**L'église perchée
de Saint-Donat-le-Bas.**
© A. Vondra

Le chevet et la coupole
octogonale de Notre-Dame-
des-Pomiers.
© Pierre-Albert Clément

La façade de la cathédrale
de Notre-Dame-des-Pomiers.
© Pierre-Albert Clément

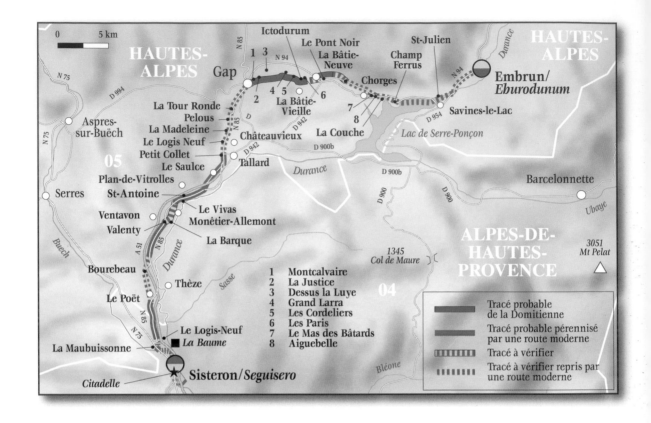

Ictodurum
Le Pont Noir
La Bâtie-Neuve
St-Julien
Champ Ferrus

HAUTES-ALPES
Gap

HAUTES-ALPES

Durance

Embrun/
Eburodunum

Chorges

La Tour Ronde
Pelous
La Madeleine
Le Logis Neuf
Petit Collet
Le Saulce
Plan-de-Vitrolles
St-Antoine

La Bâtie-Vieille
Châteauvieux

La Couche

Savines-le-Lac

Lac de Serre-Ponçon

Aspres-sur-Buëch

05

Serres

Tallard

Durance

Barcelonnette

Ubaye

Ventavon
Valenty

Le Vivas
Monêtier-Allemont
La Barque

1345
Col de Maure

ALPES-DE-HAUTES-PROVENCE

3051
Mt Pelat

Bourebeau

Thèze

Sasse

04

Le Poët

Le Logis-Neuf
■ *La Baume*

La Maubuissonne

Citadelle

Sisteron/*Seguisero*

Bléone

1	Montcalvaire
2	La Justice
3	Dessus la Luye
4	Grand Larra
5	Les Cordeliers
6	Les Paris
7	Le Mas des Bâtards
8	Aiguebelle

Tracé probable
de la Domitienne

Tracé probable pérennisé
par une route moderne

Tracé à vérifier

Tracé à vérifier repris par
une route moderne

14. De Sisteron à Embrun

Au sortir de la cluse de Sisteron, la *Via Domitia* franchissait le Buëch sur un pont dont on n'a pas pu repérer l'emplacement. Elle restait ensuite sur la rive droite de la Durance où elle a servi d'assise à la N 85, la route que Napoléon a empruntée à son retour de l'île d'Elbe. Les deux itinéraires se séparent pendant un kilomètre au hameau de la Maubuissenne, la voie romaine puis médiévale coupant tout droit par le Logis Neuf.

Au niveau de l'échangeur de l'autoroute, la N 85 décrit un coude vers l'est tandis que la Domitienne est pérennisée par la petite route qui tra-verse Le Poët et Rourebeau. A nouveau confondues, nationale et voie antique continuent à remonter la vallée de la Durance.

Il semble qu'à partir du Grand Guibert, la *Via Domitia* soit pérenni-sée par un chemin de terre qui poursuit parallèlement à la N 85, 300 mètres plus à l'est.

On parvient ainsi à la station d'*Alabonte* que les Itinéraires donnent comme distante de XVI milles par rap-port à Sisteron et que l'on localise sur le site du Monêtier-Allemont. Cette étape millénaire était jadis le chef-lieu du *pagus Epotius*.

Gap/Vappincum

On suppose que l'oppidum des *Avantici* était perché sur le cap-barré de Saint-Mens (altitude : 976 mètres) immédiatement au sud de la ville actuelle. Le centre de celle-ci pérennise l'emplacement de l'agglomération romaine. Lorsque l'on a rasé la cathédrale romane en 1866, les terrassiers ont mis au jour un édifice public de plan circulaire remontant au début de notre ère. Des fouilles conduites entre 1971 et 1991 à l'occasion de l'aménagement du parking de la place Saint-Arnoux ont permis de retrouver une partie de l'enceinte polygonale du IIIe siècle apr. J.-C. avec des murs en petit appareil de 4 mètres de hauteur protégés par des tours circulaires. La ville enfermée derrière ces remparts s'étendait sur deux hectares seulement. La *Via Domitia* arrivait, comme le fait l'avenue Jean-Jaurès, dans le prolongement de la N 85. A l'intérieur des murailles, l'ancien cardo aurait été pérennisé par la rue du Temple, la rue du Mazel et la rue de France. La place aux Herbes qui jouxte le chevet de la cathédrale moderne perpétuerait l'ancien forum.

Comme toutes les villes prospères de l'Empire romain, *Alabonte* était dotée d'un *macellus*. L'activité de ce relais routier ne s'est pas démentie au Moyen Age ainsi que l'atteste la fondation d'un monastère – le Monêtier – par la puissante abbaye de Montmajour en pays d'Arles.

La Domitienne est reprise par la N 85 entre *Alabonte* et le canal EDF. Elle laisse sur sa gauche après le Vivas, un lieu-dit Saint-Antoine dont le nom rappelle la fondation d'un hôpital par les frères Antonins. Elle est ensuite pérennisée par la D 19 qui longe le village de La Saulée. On pourrait penser que la Domitienne obliquait à gauche pour rester dans la vallée de la Durance comme le font actuellement la D 942 et la D 900B. En réalité, les ingénieurs romains ont voulu éviter l'étroit défilé entre Gréolier et Espinasses où il était exclu de faire passer des chariots et des caravanes muletières. Ils ont donc préféré faire le détour par *Vappincum*/Gap, malgré l'allongement du trajet.

La Domitienne sert une fois de plus d'assise à la N 85 jusqu'à l'entrée dans Gap (altitude : 760 mètres). L'anti-quité de cette section est attestée par sa coïncidence avec les confins de Neffes et de Châteauvieux. Par ailleurs, les toponymes le *Logis Neuf*, la *Madeleine* et la *Destourbe* rappellent la continuité du trafic au Moyen Age.

Chef-lieu des *Avantici*, Vappincum était lui aussi un important nœud routier. L'itinéraire d'Antonin nous apprend qu'il était relié à *Valencia*/Valence par une route faisant étape à *Augusta*/Aouste-sur-Sye, *Dea Vocontiorum*/Die, *Luco*/Luc-en-Diois et *Daviano*/Veynes.

On peut suivre la *Via Domitia* à la sortie de Gap en se repérant sur le mont Calvaire et le lieu-dit la Justice, à partir duquel elle grimpe sur le plateau de « Dessus la Luye ». Goudronnée récemment, elle fait la limite entre La Bâtie-Vieille et Gap, avant de venir passer au sud du Grand Larra et ensuite marquer les confins de La Bâtie-Neuve avec La Bâtie-Vieille. C'est dans ce secteur, aux environs des Paris (altitude : 888 mètres), que les historiens locaux localisent la station d'*Ictodorus* donnée par la Table de Peutinger comme distante de *Vappincum* de VI milles.

La Via Domitia entre Gap et la Bâtie Vieille.
© Pierre-Albert Clément

Embrun perché au-dessus des falaises qui surplombent la Durance. © Pierre-Albert Clément

La voie romaine continue à servir de limite en séparant sur 4 kilomètres La Bâtie-Neuve et Avançon. Aux Collets, elle est reprise par la D 614 puis, au nord de *Caturomagus*/Chorges, elle est appelée le « Chemin creux ».

A **Chorges,** nous arrivons à la frontière des Voconces et des Caturiges, qui au Iᵉʳ siècle av. J.-C. a été reprise pour servir de limite entre la province de Narbonnaise et le royaume de Cottius. Le déterminatif de *magus* donne à entendre qu'il se déroulait là des foires de confins. Il s'agissait d'une véritable zone franche où l'on venait à date fixe vendre ou acheter sans avoir de taxes à payer. L'agglomération gallo-romaine se trouvait – pense-t-on – sur les bords de la Domitienne, 300 mètres au nord du bourg de Chorges qui s'est développé à partir du XIᵉ siècle et s'est substitué à la station celte.

Depuis le mas des Bastards, la voie antique est pérennisée jusqu'à hauteur de la Couche par la N 94. Les deux itinéraires se superposent à nouveau lorsqu'ils parviennent au lieu-dit Champ Ferrus, possible réminiscence de *Chemin ferré*.

Entre les Tousses et la Clapière, le tracé de la *Via Domitia* disparaît sous les eaux du barrage de Serre-Ponçon. Il réapparaît sous l'assise de la N 94 aux abords d'*Eburodunum*/Embrun dont le nom primitif peut se traduire par « le fort aux sangliers ». Ce toponyme est relativement fréquent dans les territoires qu'ont occupés autrefois les Celtes. En Suisse, la ville d'Yverdon s'appelait aussi *Eburodunum*.

Embrun/*Eburodunum*

Ancien chef-lieu des Caturiges, Embrun (altitude : 799 mètres) était la tête de ligne sur la Durance du

La façade et le clocher de la cathédrale Notre-Dame d'Embrun. © Pierre-Albert Clément

Le chevet : double rangée d'arcatures aveugles retombant sur des modillons sculptés.
© Pierre-Albert Clément

transport fluvial par radeaux et par barques à fond plat. Vers 400 apr. J.-C., cette station routière devint le siège d'une métropole ecclésiastique regroupant plusieurs diocèses et s'étendant sur le Queyras, le Briançonnais et la vallée de l'Ubaye.

L'oppidum des Caturiges et l'agglomération gallo-romaine occupaient le site où s'élève la ville actuelle. L'activité médiévale était centrée sur la place Mazellière, c'est-à-dire la place du Mazel, l'actuelle rue Auguste-Comte représentant le *decumanus* romain.

Plus chanceuse que Gap, Embrun a conservé sa cathédrale bâtie à la fin du XIIe siècle. Nous sommes là en période de transition entre le roman et le gothique comme en témoignent les voûtes sur croisées d'ogives de la nef centrale alors que le plein cintre caractérise les deux collatéraux. Le maître d'œuvre a mis à profit la proximité de carrières tantôt de calcaire gris clair, tantôt de schiste gris sombre pour jouer sur la polychromie. Les archivoltes des baies de la façade alternent donc les claveaux blancs et

Détail des sculptures du portail.
© Pierre-Albert Clément

les claveaux noirs. Elles retombent sur des colonnettes de marbre rose de Guillestre. L'abside et les absidioles sont décorées d'arcatures aveugles s'appuyant sur des modillons qui ont été sculptés avec beaucoup de verve.

Le palais épiscopal qui domine la ville était protégé par une tour maîtresse du XIIe siècle, la tour Brune. Le Moyen Age a également doté Embrun des pittoresques maisons à encorbellement de la rue Caffe.

En haut à droite
La tour maîtresse du XIIe siècle appelée Tour brune.
© Pierre-Albert Clément

Le portail et son appareil polychrome.
© Pierre-Albert Clément

15. D'Embrun à Mont-Genèvre

A la sortie d'Embrun, le lieu-dit *Pontfrache* – le pont rompu – rappelle qu'à l'époque romaine ou à l'époque médiévale, un ouvrage en pierre permettait de franchir la Charance.

A hauteur de Saint-Sernin, le tracé antique semble avoir été repris par la N 94. Les deux itinéraires confondus remontaient la rive droite de la Durance jusqu'à Saint-Clément où ils passaient sur la rive gauche.

La *Via Domitia* a servi à faire la limite entre Risoul et Guillestre comme le font toujours la N 94 puis la D 86 à partir de la cote 883. Elle passait au pied du promontoire où un oppidum celte permettait de contrôler le confluent du Guill et de la Durance. Sur son emplacement Vauban a fait construire la citadelle de Mont-Dauphin à la fin du XVIIe siècle.

La voie romaine qui est reprise là même par la N 94 tire tout droit

Vue générale de Briançon.
© Office de tourisme de Briançon

jusqu'à Saint-Crépin. A mi-distance entre Embrun et Briançon se trouvait l'étape de **Rama** mentionnée par la totalité des Itinéraires. La ville aurait été emportée au XIIIe siècle par une terrible crue de la Durance. Le village de La Roche-de-Rame est construit plus au nord sur une terrasse alluviale.

En continuant on arrive à L'Argentière où, au Moyen Age, une commanderie avait été installée par les Hospitaliers de Saint-Jean de Jérusalem. Selon un tracé tantôt confondu, tantôt parallèle avec la N 94, la Domitienne parvenait à **Brigantio/Briançon**. Cette station routière se trouvait idéalement implantée au voisinage immédiat des confluents de la Durance avec la Guisane, la Clarée et la Cerveyrette. Grâce à la vallée de la Guisane, *Brigantio* communiquait directement avec *Vigenna*/Vienne par *Stabatio*/Le Monêtier-les-Bains, *Durotinco*/Villar-d'Arène, *Catorissium* (au voisinage du Bourg-d'Oisans), *Cularo*/Grenoble et *Margiana*/Moirans, comme l'atteste la Table de Peutinger.

On doit surtout considérer Briançon comme une étape de pied de col. Jusqu'au milieu du XIXe siècle et jusqu'à la généralisation des routes à faible pente caractérisées par les lacets en corniche et les virages en épingle à cheveux, il était exclu de faire gravir les cols alpestres ou pyrénéens par des chariots attelés, surtout à la saison des neiges et aux époques de mauvais temps.

Briançon/*Brigantio*

L'oppidum était implanté sur la hauteur où est établie la ville contemporaine. A l'époque romaine, les familles se regroupèrent dans la plaine de Sainte-Catherine où l'on a découvert en 1983 un amphithéâtre de 95 mètres x 65 mètres, malheureusement réenseveli sous une ZAC. Des maisons romaines ont été également répertoriées au lieu-dit Champ de Mars. Jugeant que la ville basse était trop exposée aux pillards, les habitants se réinstallèrent au haut Moyen Age sur le site d'oppidum, bien plus facile à défendre. Les murailles préexistantes ont été abattues lorsque Vauban entreprit, en 1700, de doter la forteresse de courtines et de bastions à l'épreuve de l'artillerie.

Deux incendies ayant ravagé en 1624 et 1692 une grande partie de la ville haute, le patrimoine médiéval a pratiquement disparu. L'église romane, dédiée à Notre-Dame et à saint Nicolas, qui était située à l'extérieur des murailles, a été rasée en 1690 pour éviter qu'elle ne devienne une position avancée d'éventuels assaillants.

La rue de la Grande-Gargouille qui pérennise l'antique *decumanus*. © Office de Tourisme de Briançon

On pratiquait donc ce que l'on appelait la rupture de charge. A la montée, en l'occurrence à Briançon (altitude : 1 321 mètres), certainement au relais muletier des Fontanils, on vidait les plateaux des véhicules à roues et on transférait les marchandises sur le dos des bêtes de somme. A la descente, dans notre cas à Cesana Torinese (altitude : 1 344 mètres), on pratiquait l'opération inverse et le fret était transbordé sur les chariots qui attendaient au bas du col sur le versant italien. Inversement pour le trafic arrivant de Turin, les mulets étaient chargés à Cesana et déchargés à Briançon.

Ces manutentions qui durèrent pendant près de 2 500 ans expliquent la richesse passée des deux villes jumelles où étaient hébergés les transporteurs d'autrefois.

La *Via Domitia* a été choisie comme *decumanus* lors de l'implantation de la ville gallo-romaine de *Brigantio*. Elle est pérennisée aujourd'hui par la rue en pente de la Grande-Gargouille qui doit son nom au caniveau central par lequel s'écoule l'eau d'un béal en prise sur la Guisane. Il est très difficile de repérer le tracé de la voie antique entre Briançon et le Mont-Genèvre. Avalanches, éboulements, et glissements de terrain ont fait disparaître la plupart des vestiges. De plus, les quelques sections éventuellement repérables risquent souvent de correspondre aux raccourcis empruntés par les caravanes muletières.

Le col du Mont-Genèvre paraît avoir été le passage le plus fréquenté entre la France et l'Italie depuis la protohistoire. Il avait reçu différents noms : *Summae Alpes* sur un des gobelets de Vicarello. Cette appellation est à rapprocher du *Summum Pyrenaeum*/Panissars entre la France et l'Ibérie. En fait, il s'agissait du point le

A 1321 m d'altitude, Briançon est souvent recouvert pendant l'hiver par un manteau neigeux.
© Office de Tourisme de Briançon

plus bas (altitude : 1 854 mètres) pour franchir la chaîne des Alpes, exception faite des cols de Brouis (980 mètres) et de Brays (995 mètres) dans l'arrière-pays niçois. Le Mont-Genèvre demeurait donc moins longtemps enneigé que les autres cols alpestres.

Gruentia et Durantium sur les autres gobelets. Nous sommes au voisinage des sources de la Durance et de la Doire Ripaire qui prennent naissance tout près de là sur le flanc du sommet des Anges. Selon le chroniqueur de l'abbaye de Novalaise dont les écrits sont datés de la première moitié du XIe siècle, les eaux de la *Doria*/la Doire qui se dirigeaient vers l'Italie étaient toujours troubles. Par contre, la *Druentia*/Durance qui coulait vers les Gaules restait une rivière limpide et poissonneuse.

In Alpes Cottiae sur la Table de Peutinger. Nous nous trouvons dans le territoire à cheval sur les deux versants dont Cottius avait été roi puis préfet à la suite du *foedus*/accord passé avec Auguste.

Inde ascendis Matrona dans l'itinéraire de Bordeaux à Jérusalem. Cette *Matrona* vers laquelle on montait était une déesse celte des fontaines. On la retrouve à Glanum à l'autre extrémité du trajet du Rhône aux Alpes. Son culte au Mont-Genèvre était certainement lié à la source de la Durance.

Le chroniqueur de Novalaise nous apprend qu'il existait encore au XIe siècle sur le *Mons Geminum*, les vestiges d'un temple qui était dédié à *Janus* et qui était bâti en *quadris lapidibus,* en pierre de grand appareil. Les traditions d'accueil du *Summae Alpes* se perpétuèrent au Moyen Age avec un hospice pour les voyageurs et une chapelle dédiée à saint Gervais. Mont-Genèvre côté français et Clavière côté italien sont devenus aujourd'hui des centres touristiques, des stations de ski et des sites hôteliers appelés à connaître une fréquentation de plus en plus intense.

Le jour où les autoroutes s'y rejoindront, l'axe Gérone-Suse redeviendra l'itinéraire privilégié que représentait autrefois la *Via Domitia*.

Mont Genèvre : panneaux balisant les chemins de randonnée menant aux sources de la Durance et de la Doire Ripaire.
© Pierre-Albert Clément

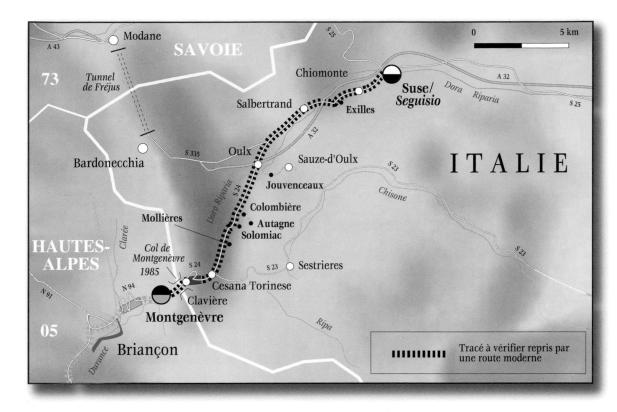

16. De Mont-Genèvre à Suse

Avec un dénivelé de 510 mètres sur 7,4 kilomètres seulement, la section de Mont-Genèvre à Cesana Torinese, la voie antique que les Italiens appellent « *via delle Gallie* » présentait de fortes déclivités dans la haute vallée de la Doire Ripaire.

L'antique *Gaesona*, comme beaucoup de sites de rupture de charge, était bâtie au confluent de la rivière avec le torrent de la Ripa. A partir de là, les pentes s'adoucissent en aval et les gorges s'élargissent, ce qui facilitait l'utilisation des véhicules à roues. On arrive ainsi à l'étape d'*Ad Martes* (altitude : 1 121 mètres) qui s'était établie au confluent avec la Bardonècchia auprès d'un *fanum* dédié à Mars. Au Moyen Age, la ville a reçu le nom d'Oulx qui témoigne de la longue appartenance du Val de Suse à la francophonie, tout comme d'ailleurs la guirlande des toponymes : Salbertrand, Mollières, Colombière, Solomiac, Jouvenceaux, Sauze…

Au XIIᵉ siècle, les Augustins avaient fondé à Oulx une prévôté dédicacée à saint Pierre et saint Just. Les prieurés en étaient essaimés sur les deux versants des Alpes.

Huit milles en aval, la voie antique parvient à *Scingomagus*/Exilles.

La citadelle moderne d'Exilles, perchée à l'emplacement de l'ancien oppidum de Scingomagus.
© Pierre-Albert Clément

Les arènes romaines de Suse.
© Pierre-Albert Clément

Cette station, non mentionnée par l'ensemble des Itinéraires, est connue grâce à Strabon (*Géographie*, IV, 1,3) qui écrit qu'elle marque la frontière entre l'Italie et la Celtique. Cette information est comprouvée par le suffixe *magus* qui laisse supposer qu'il se tenait là des foires de confins.

Rappelons aussi que le nom actuel d'**Exilles** dériverait du latin *exitus* qui désigne parfois le lieu par lequel on sort d'une province ou d'un Etat. L'impressionnante citadelle moderne qui y contrôle les gorges de la Doire témoigne de son rôle stratégique.

Suse/*Seguitio*

Toujours en suivant la vallée, on parvient par Chiomonte à Suse/*Seguitio*. La *via delle Gallie* y rentrait, semble-t-il, par l'arc d'Auguste et par la porte de Savoie qui a succédé à la porte principale de l'enceinte romaine. D'abord chef-lieu de l'ethnie celte des Segusiaves puis, sous le Haut-Empire, capitale du vaste royaume des Alpes Cottiennes, Suse pérennise un carrefour routier qui a connu une intense fréquentation à toutes les époques. Non seulement la ville accueillait les marchands et les transporteurs utilisant la Domitienne, mais aussi tous ceux qui allaient à Lyon ou en revenaient en emprun-

tant l'itinéraire protohistorique qui passait par le col du Mont-Cenis (altitude : 2 182 mètres) et la vallée de la Maurienne.

Un grand nombre de monuments romains encore en élévation témoignent du rayonnement de Suse en tant que chef-lieu religieux, chef-lieu administratif et chef-lieu économique. Construit au IIIᵉ siècle apr. J.-C. sur le flanc de la colline à l'ouest de la ville, l'amphithéâtre antique accueillait sur ses gradins les délégations des peuples incorporés dans le *Regnum Cottii*, l'ancien royaume de Cottius.

Suse a également conservé une partie de ses murailles dont certaines remontent au IIᵉ siècle apr. J.-C. Elles se distinguent par leur petit appareil en « arête de poisson ». L'entrée de la ville basse se fait encore par une porte tardo-romaine, la porte de Savoie, qui

La porte de Savoie.
© Pierre-Albert Clément

était flanquée de deux tours dont les ouvertures de tir ont été grandement élargies.

Dans la ville haute où l'on a mis au jour les substructions d'un quartier de maisons cossues, les thermes de Gratien ont disparu, mais il reste encore à l'extérieur deux arches de l'aqueduc qui les alimentait.

L'arc d'Auguste, le monument romain le mieux préservé des outrages du temps, a été érigé en 9-8 av. J.-C. Il est revêtu de blocs de marbre blanc extrait des carrières de Foreste. Les quatre angles extérieurs sont ornés de colonnes cannelées à chapiteaux corinthiens.

Pour symboliser le traité d'alliance, le *foedus* entre Cottius et Auguste, les frises des entablements est, sud et nord évoquent la cérémonie du *suevetaurilia* que l'on célébrait pour sceller les accords diplomatiques. Le porc, le bélier et le taureau que l'on va immoler sont conduits vers l'autel par des licteurs des fantassins et des cavaliers.

A l'exemple du pont Julien, les moellons des deux façades portent les stigmates des méfaits causés par les voleurs de plomb.

L'arc d'Auguste est également incontournable dans le domaine de l'épigraphie. Il porte le nom des quatorze peuples alpins qui se sont fédé-

rés avec Rome, soit six du côté italien et huit du côté français.

Dans cette liste figurent les *Ucenii* du bassin de la Romanche (Oisans), les *Caturigii* du bassin de la haute Durance (région d'Embrun), les *Quariates* du bassin du Guil (Queyras), les *Edenates* du bassin de Seynes-les-Alpes et les *Vesubiani* du bassin de la Vésubie.

Page de gauche
L'arc d'Auguste sous lequel passait la voie domitienne.
© Pierre-Albert Clément

Ci-dessus à gauche
Détail de l'entablement.
© Pierre-Albert Clément

Ci-dessus à droite
Frise sculptée évoquant la cérémonie du suevetaurilia.
© Pierre-Albert Clément

Pôle religieux, Suse possède comme Gérone, Béziers ou Arles un remarquable patrimoine roman. Derrière la porte de Savoie se dresse le clocher de la cathédrale Saint-Just dont les quatre niveaux sont ajourés de baies de plus en plus grandes au fur et à mesure que l'on se rapproche de la flèche gothique. Plus ancien, le campanile de l'église de Sainte-Marie-Majeure paraît avoir servi de modèle au maître d'œuvre de la cathédrale. Le premier niveau est aveugle, le deuxième percé d'une ouverture sim-ple, le troisième de doubles arcades, le quatrième de triples arcades plus hautes et le cinquième de triples arca-des encore plus hautes. Une corniche moulurée et un feston de petits arcs aveugles courent à la hauteur de cha-que séparation des étages.

Les bas-reliefs et les inscriptions funéraires retrouvés dans le secteur ont été rassemblés au *Museo Civico*. Cette dernière étape met particulière-ment en évidence le rapproche-ment des cultures induit par l'axe de communication privilégié que la *Via*

L'autel à sacrifices de Suse

A une cinquantaine de mètres de l'arc d'Auguste, au sommet de l'acropole où était implanté l'oppidum préromain, on découvre le site le plus ésotérique de l'ancienne capitale des Alpes Cottiennes, la rocca delle Coppelle, la roche aux Cupules. Cette table est creusée de petits bassins appelés, en France, les « écuelles des fées » et reliés entre eux par des rigoles.

Un autel de ce type existe aussi à Panoias au Portugal. Des inscriptions latines retrouvées sur le lieu même nous y donnent l'explication de sa fonction. Il s'agit de la pratique d'un culte chtonien, un culte de la terre survivant encore chez les Celtes. Un canal collecteur conduisait au pied de la roche le sang des victimes humaines immolées à la divinité.

A Suse, l'aspect mythique est confirmé par la proximité d'un bosquet de micocouliers, l'arbre sacré que les Italiens surnomment le *caccia diavolo*, l'arbre qui chasse le diable.

En France, dans le département du Gard, deux tables à sacrifices semblables ont été reconnues, l'une sur le site antique du Dugas à Saint-Ambroix, l'autre sur l'oppidum de Saint-Germain de Montaigu à Alès.

Micocouliers aux abords de la roche aux Cupules.
© Pierre-Albert Clément

Suse, la rocca delle Coppelle, ancienne table à sacrifices.
© Pierre-Albert Clément

Domitia a représenté depuis l'Antiquité jusqu'à la fin du Moyen Age.

Du côté italien, le segment Suse-Turin long de L milles (72 kilomètres) canalisait le trafic en provenance des deux plus grandes voies romaines de la péninsule : d'une part l'itinéraire qui reliait Turin à Gênes, Pise et Rome (*Via Aurelia*) et d'autre part l'itinéraire de référence qui reliait Turin à Plaisance où divergeaient la *Via Postumia* allant à Vérone, Vicence et Aquilée et la *Via Aemilia* allant à Parme, Bologne et Rimini.

L'axe de traversée des Alpes par Suse et le Mont-Genèvre présentait une importance primordiale pour les Romains. Dans le traité d'alliance passé vers 13 av. J.-C. entre Auguste et le roi Cottius, il était stipulé que ce dernier devrait financer des détachements armés qui protégeraient les usagers des attaques des brigands et qu'il devrait aussi faire entretenir, grâce à des corvées, la section de route allant d'*Eburodunum* à *Ocelum*/Chiusa, ville située à mi-chemin entre Suse et Turin.

Les travaux routiers gigantesques entrepris, deux mille ans après, dans la vallée supérieure de la Doire Ripaire, témoignent de l'actualité de cette liaison bimillénaire entre les deux sœurs latines, la France et l'Italie.

L'autoroute A 9 dont le tracé entre Béziers et Nîmes se rapproche souvent de celui de la Via Domitia. © Henry Ayglon

Le clocher roman de la cathédrale de Gérone. Il est connu sous le nom de tour Charlemagne.
© Henry Ayglon

Epilogue

Plus de deux mille ans après leur aménagement, la *Via Domitia* et ses homologues italiennes et ibériques marquent encore le paysage géographique, économique et culturel de l'Arc latin.

Les choix des étapes qui ont été faits par les Romains de l'époque républicaine se justifient encore de nos jours.

Si l'on prend pour référence la liste des stations routières figurant sur le troisième gobelet de Vicarello (27 av. J.-C.), soit trente-trois étapes au total, il est significatif de relever que vingt-trois d'entre elles jouent encore un rôle dans la vie des régions.

Ainsi, cinq de ces villes se sont pérennisées comme chefs-lieux de province ou de département (Gérone, Perpignan, Nîmes, Gap et Suse) et sept autres, toujours florissantes, sont devenues chefs-lieux d'arrondissement après avoir été le siège d'une métropole ou d'un diocèse ecclésiastique jusqu'en 1792 (Narbonne, Béziers, Arles, Cavaillon, Apt, Sisteron et Briançon).

Onze autres bourgs contemporains remontent eux aussi à l'Antiquité (Caldas de Malavella, Saint-Thibéry, Castelnau-le-Lez, Beaucaire, Saint-Rémy-de-Provence, Céreste, Le Monêtier-Allemont, Chorges, Embrun, Mont-Genèvre et Cesana Torinese).

Le tracé de la Domitienne a lui aussi inspiré, consciemment ou non, les concepteurs des autoroutes. Depuis le col du Perthus jusqu'à Nîmes, l'A 9 reste parallèle, parfois même jusqu'à le phagocyter à l'itinéraire Vicarellien. Pareillement, l'A 51 demeure très proche de la voie romaine entre Lurs et Gap. Autre symbole, le tunnel du TGV sera percé juste au-dessous du col de Panissars.

Si la *Via Domitia* se projette à travers les grands axes de communication du XXIe siècle, elle n'en porte pas moins les marques d'une culture qui remonte loin dans le temps.

Il est émouvant de retrouver le micocoulier, l'arbre marqueur des sanctuaires préromains, depuis Gérone jusqu'à Suse, en particulier à Saint-Martin-de-Fenollar, à l'acropole de Saint-Nazaire

Repousses de micocouliers le long du chemin conduisant à la plate-forme sommitale de l'oppidum de Gérone.
© Pierre-Albert Clément

de Béziers, à la Font de Nîmes, aux Alyscamps en Arles, à Saint-Gabriel et aux Antiques de Saint-Rémy.

Il est significatif de répertorier des tours-clochers romanes de plan carré, très semblables les unes aux autres, essaimées le long de la voie antique sans que l'on puisse savoir laquelle a servi de modèle. Une de leurs fonctions consistait à aider les voyageurs à se repérer au fur et à mesure qu'ils se rapprochaient d'un chef-lieu religieux.

C'était le cas pour la tour de Charlemagne à Gérone ainsi que pour les clochers de Sainte-Eulalie d'Elne, Saint-Trophime d'Arles, Saint-Just et Sainte-Marie-Majeure de Suse…

De même, les oculus ouverts dans les façades à San Pere de Galligants, Saint-Gabriel et Notre-Dame d'Embrun ont souvent servi de modèles aux somptueuses rosaces gothiques.

Au fur et à mesure que ressurgissent les témoins du riche passé de la

Via Domitia, on prend conscience de la consanguinité des stations routières qui ont vu le jour sur son parcours. Les liens millénaires qui unissent ces villes se retrouveront indéniablement renforcés par la mise en place des programmes à l'échelle européenne.

Pages suivantes :
La *Via Domitia* à Ambrussum
© Jacques Debru

Oculus de Notre-Dame d'Embrun.
© Pierre-Albert Clément

Index

Bibliographie

Les essentiels

La Voie Domitienne, Pierre A. Clément, Alain Peyre. Presses du Languedoc
Les chemins à travers les âges, Pierre A. Clément. Presses du Languedoc
Via Domitia et Via Augusta, Maison des Sciences de l'Homme. D.A.F.
La Tabula Peutingeriana, Luciano Bosio. Maggioli Editore
La Via Francigena, Renato Stopani. Casa Editrice Le Lettere
Les Peuples préromains du sud-est de la Gaule, Guy Barruol. De Boccard
Villes du Sud, Alain Gas. La Renaissance du Livre
Ponti romani, Piero Gazzola. Leo Olski editore

Pour visiter les villes antiques

Histoire de Perpignan. Privat
Narbonne antique, Michel Gayraud. De Boccard
Béziers et son territoire dans l'Antiquité, M. Clavel-Lévêque. Les Belles-Lettres
Ambrussum, Jean-Luc Fiches. Presses du Languedoc
Histoire de Nîmes, Edisud
Arles, Fernand Benoît. Alpina
Glanum, Fernand Salviat. Guides archéologiques
I Romani in val di Suse, E. Lanza et G. Monzeglio. Susa Libri

Pour visiter les églises romanes

Eglises romanes du Roussillon, Géraldine Mallet. Presses du Languedoc
Eglises romanes du Bas-Languedoc, Pierre A. Clément. Presses du Languedoc
Provence romane (I), Jean-Maurice Rouquette. Zodiaque
Provence romane (II), Jean-Maurice Rouquette et Guy Barruol. Zodiaque

Du même auteur

Les chemins à travers les âges, Les Presses du Languedoc, 1983, rééd. 1984, 1989, 1994, 2003.
Eglises romanes oubliées du bas Languedoc, Les Presses du Languedoc, 1989, rééd. 1993.
En Cévennes avec les bergers, Les Presses du Languedoc, 1991, rééd. 1994, 2003.
Foires et marchés d'Occitanie, de l'Antiquité à l'an 2000, Les Presses du Languedoc, 1999.
Loÿs Bastide et sa Chaline, Cheminements, 2007. (les tribulations d'un muletier au XVIe siècle).
Sainte-Resquille (chronique satirique), Nouvelles Presses du Languedoc, 2007.

Remerciements

L'auteur tient à remercier particulièrement : Myriam Demore, attachée culturelle en mairie de Narbonne, Dian Massenat, de la maison du Malpas à Colombier, Diane Flon et Laurence Michel, d'Alpes de Lumière, Dani Rouquette, archéologue à Mèze, Anne Rusty-Solignac, chargée de mission à la communauté du Pays de Lune Pascal Senegas au Soler et Angelika Sauermost, chargée de mission Voie domitienne et voies antiques au Comi régional du Tourisme Septimanie L.R.

Trois adresses de sites : www.alpes-de-lumiere.org
www.viaromanae.org
www.viadomitia.org

L'éditeur tient à remercier pour leur collaboration : Marc Lugand, du musée du Biterrois, Dominique Darde, du Musée archéologique de Nîmes, Raymond Sabrié (†), Martial Monteil, maître de conférence à l'Université de Nantes, Francine Riou, de l'Office du tourisme d'Arles, Lydie Gallope et Isabelle Fouilloy, de la Ville de Brianço

Liste des musées archéologiques cités

Musée d'Arqueologia de Catalunya
Plaça Santa Llúcia E 17007 Girona
Tél. 00972204637

Musée Ruscino
Route de Cabestany. 66000 Perpignan.
Tél. : 04.68.67.47.17

Musée archéologique
BP 823. 11108 Narbonne
Tél. : 04.68.90.30.54

Musée des Potiers gallo-romains - Amphoralis
Allée des Potiers. 11590 Sallèles-d'Aude
Tél. : 04.68.46.89.48

Musée de l'Oppidum d'Ensérune
34440 Nissan-lez-Ensérune.
Tél. : 04.66.53.61.55

Musée du Biterrois - Casernes Saint-Jacques
Rampe du 26e. 34500 Béziers
Tél. : 4.67.36.81.60
Fax : 04.67.36.81.69

Musée de l'Ephèbe
La Clape – Cap d'Agde
34300 Agde.
Tél. : 04.67.94.69.60
Fax : 04.67.94.69.69

Villa Loupian - Musée de site gallo-romain
34140 Loupian.
Tél. : 04.67.18.68.18
Fax : 04.67.18.68.19

Musée archéologique Henri-Prades
Route de Pérols. 34970 Lattes.
Tél. : 04.67.99.77.20
Fax : 04.67.99.77.21

Musée archéologique
13, boulevard Amiral-Courbet
30000 Nîmes.
Tél. : 04.66.76.74.80

Musée de la Civilisation romaine - Pont du Gard
Route du Pont-du-Gard
30210 Vers-Pont-du-Gard.
Tél. : 04.66.37.50.99

I.R.P.A. Musée de l'Arles antique
Presqu'île du Cirque Romain.
BP 205 13635 Arles Cedex
Tél. : 04.90.18.88.88
Contact : C. Sintès
Tél. : 04.90.18.88.92

Dépôt Archéologique
Hôtel de Sade. Place Favier 13210 Saint-Rémy
Contact : Chantal Blé-Croa (secrétaire)
Tél. : 04.90.92.64.04

Musée de l'Hôtel-Dieu
Grand-Rue. 84300 Cavaillon
Tél. : 04.90.76.00.34

Musée archéologique
Place Gabriel-Péri
84400 Apt.
Tél. : 04.90.74.78.45

Table des matières

Éditeur : Christian Ryo

Coordination éditoriale : Isabelle Rousseau

Collaboration éditoriale : Reine Bellivier, Marie Ducrocq

Conception graphique et Mise en page :

Studio graphique des Editions Ouest France

Cartographie : Patrick Mérienne

Prise de vue numérique et photogravure :

Micro Lynx, Rennes (35)

Impression : Imprimerie Pollina à Luçon (85) - L59171